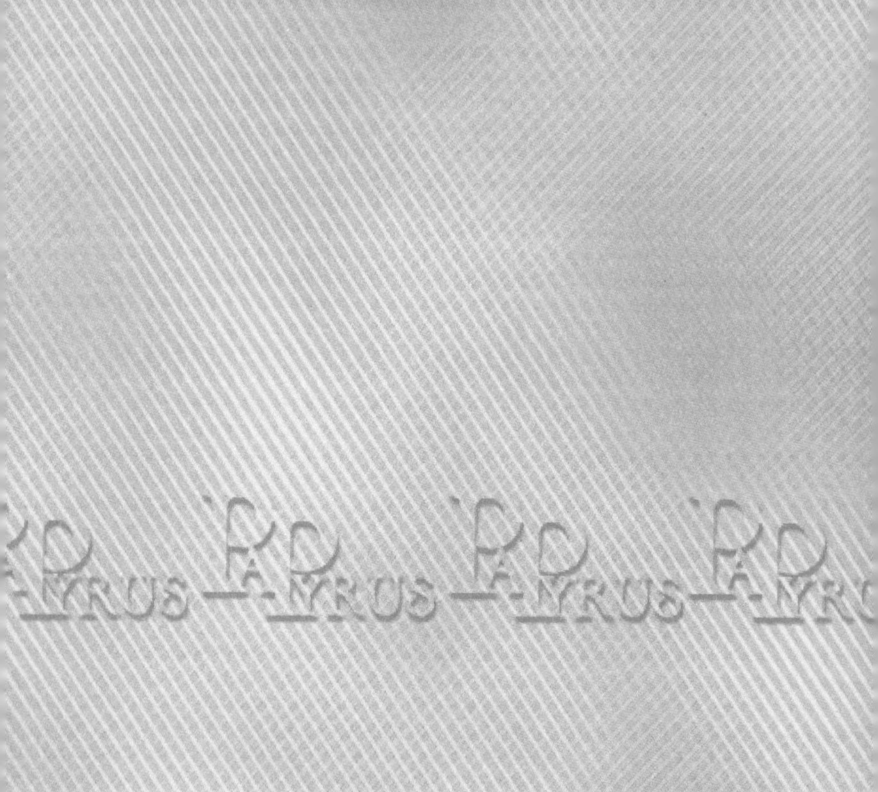

武林五賊
무림오적

무림오적 33

초판 1쇄 발행 2021년 8월 27일

지은이 | 백야
발행인 | 신현호
편집장 | 이호준
편집부 | 송영규 최종건 정재웅 양동훈 곽원호 조정범 강준석 최성화
편집디자인 | 한방울
영업 · 관리 | 김민원 조인희

펴낸곳 | ㈜디앤씨미디어
등록 | 2002년 4월 25일 제20-260호
주소 | 서울시 구로구 디지털로 26길 111 JnK디지털타워 503호
전화 | 02-333-2513(대표)
팩시밀리 | 02-333-2514
E-mail | papy_dnc@dncmedia.co.kr
홈페이지 | www.ipapyrus.co.kr

값 8,000원

ISBN 978-89-267-1878-0 04810
ISBN 978-89-267-3458-2 (SET)

백야 신무협 장편소설

PAPYRUS ORIENTAL FANTASY

33

무림오적

武林五賊

PAPYRUS
파피루스

1장.

격장지계(激將之計)

"세상에는 진실한 눈빛으로 상대를 바라보면서
태연자약하게 거짓말을 할 수 있는, 그런 못된 사람이 있답니다.
그러니 보이는 걸 모두 다 믿지는 마세요."

1. 팔각(八角) 증패(證牌)

도도하고 장엄하게 흐르던 장강의 강물은 사시를 지나면서 급격하게 흐름이 바뀐다.

마치 거대한 구렁이가 꿈틀거리며 지나간 자리에 물길이 난 것처럼 장강은 크게 굽이지고 굽이져서 격랑을 이루며 흐르기 시작한다.

그 굽이진 물결을 따라 배가 운항하는 것이 마치 뱀이 앞으로 나아가는 모습과도 같다고 해서 사행(蛇行)이라 불렸다. 그렇게 사행으로 운항하는 객선을 노려보는 자들이 강안(江岸) 깊은 곳에 숨어 있었다.

강의 양쪽 기슭은 굽이진 강물에 따라 들쑥날쑥했으며

주변 산세가 험해서 몸을 숨기고 일을 도모하기에는 최적의 장소였다.

그것이 바로 이곳 강 길에 수적이 많은 이유였다.

서너 척의 쾌속선이 강기슭에 접안(接岸)해 있다가 한 척의 커다란 객선이 지나치는 걸 보고는 곧장 물결을 가르며 쏜살처럼 튀어나왔다.

객선 망루에서 주위를 둘러보던 선부는 객선의 옆구리 쪽으로 빠르게 달려오는 쾌속선을 발견하고는 크게 고함을 질렀다.

"수적이다! 오른쪽 기슭에서 네 척의 쾌속선이 다가오고 있다!"

그의 다급하고 불안한 목소리는 쩌렁쩌렁 울려 퍼졌다.

갑판 위에 나와 있던 선객들이 다들 놀라고 불안해서 어찌할 바를 몰라 하는 가운데, 선부들이 빠르게 움직여 그들을 진정시키며 선실로 대피시켰다.

"별일 없을 겁니다. 우리 선주께서 이 바닥 수적들에게 돈을 쓴 게 얼만데요?"

"괜찮습니다. 안으로 들어가서 쉬고 계십쇼. 별 탈 없이 지나갈 겁니다."

선부들은 선실로 들어가는 선객들을 따라 선실 가운데로 난 복도를 이동하며 크게 소리쳤다.

"한동안 다들 선실 밖으로 나오지 마십쇼!"

"다들 안에서 차분히 기다리시면 됩니다!"

선부들이 그렇게 선객들을 다독이는 가운데, 어느새 네 척의 쾌속선이 객선을 따라잡고 포위망을 형성하기 시작했다.

선장이 몇몇 선부들과 또 선부들로 위장한 호위 무사들과 함께 갑판으로 걸어 내려왔다.

"젠장, 어느 채의 수적들이지?"

사십 대 중반의 선장은 짜증 반, 불안 반이 섞인 목소리로 중얼거렸다.

"장강수로연맹(長江水路聯盟) 소속이 아니면 상황이 좋지 않은데……."

이 객선은 장강의 물결을 오가기 위해서 정기적으로 장강수로연맹에게 돈을 상납했다. 또한 장강수로연맹 측에서는 자신들에게 돈을 상납한 선동(船東:선주)에게 팔각(八角) 증패(證牌)를 주는데, 그것이 바로 장강의 물결을 탈 수 있는 허가증과 같은 셈이었다.

장강수로연맹에 소속된 수적들에게 그 팔각 증패를 보여 주면 그들은 군말 없이 배를 돌렸다.

만약 그 증패를 무시하고 노략질을 하다가 연맹 측에 발각되면 연맹에서 쫓겨나는 건 물론이고, 그 배상으로 빈털터리 알거지가 되어야 했다.

만약 그런 연맹의 처리 방식에 불응하면 그때는 연맹의 공적이 되어 몰살당할 때까지 쫓겨 다니게 된다.

그건 연맹에 소속되지 않은 군소 수채도 매한가지였다.

팔각 증패는 곧 장강수로연맹의 얼굴이었고 체면이었으며 위신이었다. 우리가 보호하는 객선이니 절대 건드리면 안 된다는 경고와 위협의 증패였다.

그런 까닭에 군소 수채들 역시 선장이 팔각 증패를 내보이면 욕설을 퍼부으면서도 결국 아무 소득 없이 쾌속선에 올라타 힘없이 떠나야만 했다.

하지만 가끔, 아주 가끔 눈앞의 욕심 때문에 팔각 증패를 외면하는 무리가 있었다.

선객을 모두 죽이고 배는 수몰(水沒)시키고 팔각 증패는 불태워 없애버리면 자신들이 범행을 저질렀다는 증거가 어디 남느냐는 게 그들의 생각이었다.

물론 그들의 생각대로 일이 풀리는 건 겨우 일 할, 이 할에 불과했다. 외려 객선의 저항에 밀려 쾌속선까지 잃는 일도 있고, 몇몇 선객들과 선부를 놓치는 바람에 일이 들통 나 괴멸당하는 일도 빈번했다.

그럼에도 불구하고 눈앞의 먹잇감을 고스란히 보낼 수 없다는, 배고픔과 탐욕에 굶주린 자들이 매년 쉬지 않고 출몰하는 건 역시 장강이 그만큼 넓고 거대한 물줄기이기 때문이었다.

선장은 품속에 소중하게 간직하고 있는 팔각 증패를 만지작거렸다. 이 증패가 제대로 효과를 발휘해서 아무 탈 없이 이 물길을 지날 수 있도록 용왕(龍王)에게 기도했다.

이윽고 쾌속선에서 객선으로 쇠고랑이 매달린 줄들이 날아들었다. 쇠고랑이 난간에 걸리면서 줄들이 팽팽해졌다.

한 무리의 수적들이 그 줄을 타고 앞다퉈 객선으로 넘어왔다. 한눈에 보기에도 험상궂고 강인하게 생긴 수적들은 저마다 칼과 창, 도끼와 활을 챙겨 들고 선장을 겨냥했다.

선장이 웃으면서 두 손을 모아 인사했다.

"이 배의 책임을 지고 있는 양(梁) 모(某)라고 합니다. 이렇게 장강의 영웅들을 뵙게 되어 영광입니다. 모쪼록 이 화창한 날에 서로 웃으며 친교를 나눌 수 있기를 바랍니다."

수적들은 아무 말도 없이 무기를 겨눈 채 선장과 선부들의 움직임을 주시했다.

선장은 답답했다. 또 초조했다.

'입에 침을 튀겨 가며 협박하는 수적은 외려 쉽게 상대할 수 있지만 이렇게 입이 무거운 자들이 진짜 무서운 법

이다. 뭔가 마음에 들지 않으면 다짜고짜 무기를 휘두르는 자들이니까.'

수십 년 동안 배를 타면서 온갖 경험을 통해 얻게 된 깨달음이었다.

입이 가벼울수록 상대하기 쉽게 입이 무거울수록 상대하기 어렵다.

사실 그건 비단 수적에게만 해당하는 깨달음이 아니기도 했다. 일상생활에서도 혹은 거래를 할 때나 흥정을 할 때도 입이 무거운 자가 대하기 힘들고 까다로운 법이었다.

하지만 그렇다고 해서 선장 또한 마냥 입을 다문 채 침묵할 수는 없는 노릇이었다.

어떻게든 대화가 이뤄지고 서로 좋게 이 상황을 마무리를 짓는, 그런 현명한 대처가 선장에게는 필요했다. 어쨌든 그는 수많은 짐과 돈과 선객의 목숨을 책임지는 선장이었으니까.

선장은 다시 친근하고 푸근하게 웃으며 입을 열었다.

"이 장강의 물길을 수백 번 탔지만 여러 영웅들은 처음 뵙는 것 같습니다. 초면에 실례가 되지 않게끔, 앞으로 서로의 우정이 돈독하게끔, 그리고 영웅들께서 발복(發福)하실 수 있게끔 배 한 척당 백 냥씩, 은자 사백 냥을 예물로 드리겠습니다. 앞으로 운수대통하시기 바라는 행

전(幸錢)으로 받아 주십시오."

칼 한 번 휘두르지 않고, 입 한 번 열지 않은 채 배 한 척당 은자 백 냥을 받아 낸다면 제법 짭짤한 벌이라 할 수 있었다. 이 정도면 나름대로 수적들도 만족할 것이라고 생각하고 선장이 언급한 금액이었다.

하지만 여전히 수적들은 가타부타 말이 없었다.

선장은 슬슬 초조해졌다. 그는 혹시 아는 얼굴이라도 있을까 해서 객선에 올라온 이십여 명의 수적들을 일일이 확인해 보았다.

모두 초면의 얼굴이었다. 게다가 하나같이 기골이 장대하고 우락부락하며 온몸이 근육으로 불끈거리는 걸로 보아 평범한 수적은 아니었다.

일반적으로 두령급, 부두목급 몇몇을 제외한 하급 수적들의 경우에는 깡마른 체구에 악만 남아서 눈빛만 흉흉한 자들이 대부분이었다.

장강수로연맹이니 뭐니 하면서 무게를 잡기는 하지만, 어차피 일반 수적들은 배를 곯다가 견디지 못하고 칼을 잡게 된 일반 농민들이 대다수였다. 그런 자들까지 모두 무공을 수련하거나 체력을 단련하지는 않았다.

그러나 이자들은 달랐다. 그들은 십수 년 무공을 수련한 무인처럼 보였다. 최소한 이름 없는 조그만 수채의 수적이 아닌, 장강수로연맹에 적을 올린 수적들처럼 보였다.

그건 선장만의 착각이 아닌 모양이었다.

"아무래도 심상치 않소."

선부로 분장한 호위장이 선장의 귀에 대고 소곤거렸다.

"무기를 쥔 자세나 기세등등한 살기를 보건대, 이들은 일반 평범한 수적이 아닌 것 같소."

호위장은 잔뜩 긴장한 어조로 소곤거렸다.

대저 대형 객선이나 귀중품을 실은 선박의 경우, 장강 수로연맹의 팔각 증패 이외에도 따라 용병이나 낭인, 혹은 표국의 표사나 보표 등을 고용하여 호위를 맡긴다.

어찌 보면 돈을 이중으로 낭비하는 것처럼 보일 수도 있지만, 이렇게 돌발적으로 벌어지는 상황에 대비해서 숨겨 둔 패이기도 했다.

이번에 고용한 호위대는 사천 일대에서 유명한 금담구객(金膽九客)이었다. 쇠처럼 단단한 배짱과 간담을 지녔으며, 지금껏 이십여 건의 의뢰를 받았지만 단 한 번도 실패한 적이 없다는 아홉 명의 무인들이 바로 금담구객이었다.

그 아홉 명의 수좌(首座)이자 이번 호위대의 호위장을 맡은 이는 낭아대도(狼牙鋸齒刀) 송반(宋盤)이라는 인물로, 낭아도(狼牙刀)보다는 톱이라고 하는 게 더 잘 어울리는 칼을 주 무기로 사용하는 고수였다.

그런 송반이 지금 상당히 긴장하고 초조한 기색으로 선

장에게 소곤거리고 있었다.

"선부 중에서 힘깨나 쓰고 칼 좀 다룰 줄 아는 자들이 필요하오. 그리고 선객 중에서도 무림인들이 있는 것 같으니 그들에게 도움을 요청하는 게 좋을 것 같소."

선장은 침을 꿀꺽 삼켰다.

생각보다 더 위급한 상황일 수도 있었다.

선장은 정면의 수적들에게서 시선을 떼지 않은 채 송반을 향해 중얼거리듯 말했다.

"팔각 증패로는 안 될 것 같소?"

송반이 곧바로 대답했다.

"말이나 증패가 통할 것 같았으면 벌써 통했을 것이오. 내가 동료를 시켜 선실로 보내 도움을 요청하는 동시, 선부들에게도 따로 언질을 주겠소."

선장은 입술을 깨물며 고민하다가 미미하게 고개를 끄덕였다. 송반은 슬그머니 뒤로 물러나 동료 몇 명에게 귀엣말을 건넸다. 동료들이 고개를 끄덕이고는 수적들이 눈치채지 못하게 선실로 사라졌다.

2. 못된 사람

"이상하군."

식사를 마치고 차를 마시던 장백두가 고개를 갸웃거리며 중얼거렸다.

"잔뜩 기대하고 기다리고 있는데 왜 갑판 쪽에서 별다른 소란이 일어나지 않을까? 설마 뭐냐, 그 팔각 증패인가 뭔가 하는 걸로 대충 마무리가 되어 가는 건 아니겠지?"

잔뜩 실망한 어조로 혼잣말을 하던 장백두는 이내 눈빛을 빛내며 초운혜를 향해 말을 건넸다.

"혹시 재미있는 일을 보고 싶으시오? 그렇다면 내가 일부러 한 번 크게 일을 벌여 보리다."

'미친놈이네, 진짜.'

장백두의 하는 양을 가만히 지켜보았던 화군악과 장예추는 동시에 그렇게 속으로 중얼거렸다. 장백두는 초운혜가 대답을 하지 않자 더욱 애가 탄다는 듯 그녀에게 바짝 다가앉으며 말했다.

"미래의 낭군이 어느 정도나 대단한 인물인지, 얼마나 강한 무인인지 보고 싶지 않으시오?"

"이미 알고 있는걸요."

초운혜가 배시시 웃으며 말했다.

"제 낭군 될 분은 한없이 강하시고 한없이 다정하시며 한없이 그릇이 커서 세상 모든 걸 담아 버릴 수 있는 사람이시거든요. 그걸 왜 모르겠어요?"

그 말을 들은 장백두는 눈이 동그랗게 변하더니 이내 파안대소하며 손으로 연신 제 무릎을 두드렸다.

"푸하하하! 과연, 과연! 옳소, 옳소이다. 확실히 그대의 낭군 될 사람은 강하고 다정하고 그릇이 넓지. 겨우 수적 따위를 상대로 이겨 봤자 외려 체면도 안 설 것이오. 역시 그대야말로 그런 사내의 아내가 될 자격이 충분하구려."

장백두는 초운혜의 말이 매우 흡족하다는 듯이 연신 고개를 끄덕이며 그렇게 말했다.

'미친 줄로만 알았더니 알고 보니 또 바보였네?'

화군악이 속으로 중얼거렸다.

'그녀는 지금껏 단 한 번도 네놈을 낭군이라고 꼭 집어서 이야기한 적이 없다니까. 그러니까 지금 그녀가 말하는 낭군은 그저 그녀의 희망, 그녀의 이상형에 불과할 따름이라고. 왜 그걸 눈치채지 못하는 거지?'

화군악은 장백두가 답답할 정도로 어리석게 느껴졌다.

그는 초운혜에 대해서 잘 알고 있었다. 장백두가 아는 것보다 몇 배는, 몇 십 배는 더 그녀에 대해서 잘 알았다.

당연했다. 화군악은 초운혜의 첫 남자였고 그녀의 순결을 가져간 남자였으며 그녀를 사랑에 빠지게 만든 남자였다.

화군악은 어떻게 하면 초운혜가 웃는지, 우는지, 토라

지는지, 화가 풀리는지 잘 알고 있었다.

또 어디를 만지면 움찔거리는지 신음을 흘리는지 알고 있었고, 어떻게 공략하면 그녀가 고양이처럼 우는지 할딱거리는지 울부짖는지도 익히 잘 알고 있었다.

심지어 정사 도중 그녀에게 욕설을 퍼붓거나 엉덩이를 심하게 때리면 더 음란하게 변한다는 것도 경험을 통해 알고 있는 사실이었다.

'그녀의 한쪽 입꼬리만 웃을 때는 지금 거짓말을 하고 있다는 거란다, 친구. 마음에 없는 미소를 지을 때는 손으로 입을 가리고 웃지. 그래, 바로 지금처럼 말이다.'

화군악은 초운혜를 바라보면서 그렇게 생각했다.

마침 초운혜는 손으로 입술을 가리며 웃고 있었다.

장백두가 나름대로 재미있는 농담을 한다고 한 모양이었다. 그는 초운혜가 웃자 더욱 신이 나서 분위기 썰렁하게 만드는 농담을 계속해서 이어 가려 했다.

그때, 유 노대가 서둘러 장백두의 말을 중간에서 잘랐다.

"마침 식사도 끝내고 차도 잘 마셨으니 이제 우리는 그만 가 봐야 할 것 같습니다."

"음? 아니, 아니 되오."

장백두는 손을 내저으며 말했다.

"아직 하던 이야기를 마저 다 끝내지도 못하지 않았소?

그러고 보니 어디까지 이야기했더라?"

장백두는 기억이 나지 않는다는 듯 눈을 가늘게 뜨고 중얼거렸다. 그러자 초운혜가 나지막한 소리로 말했다.

"왠지 손 대협의 나이가 오라버니보다 어려 보인다고 하셨어요."

"아, 그렇지! 맞소. 역시 똑똑하구려. 기억력도 참 좋구려. 한 번 본 사람은 쉽게 잊지 않지 않소, 평소에?"

"네, 그런 편이에요."

"그렇구려. 흠."

장백두는 묘한 표정을 짓다가 다시 활짝 웃으며 화군악에게 시선을 돌리며 말했다.

"그리고 두 번째로 알아낸 것은 말이오. 바로 손 소협이 내 미래의 아내를 끊임없이, 쉬지 않고 바라보고 있다는 사실이오."

"네?"

초운혜의 눈이 휘둥그레졌다. 그녀는 저도 모르게 화군악을 바라보았다.

화군악은 무표정한 얼굴로 물었다.

"내가 언제 그랬소?"

"음. 갑판 위에서도 그랬소. 하마터면 나와 눈이 마주칠 뻔한 적이 세 번이나 되오. 설마 날 훔쳐보고 있었을 리는 없었을 테고…… 음? 혹시 그쪽 방면이오? 그렇다면 실례했소. 그리고 아쉽게도 나는 그쪽 방면을 좋아하지 않아서."

장백두는 계속해서 혼자 주절주절 떠들었다.

"그리고 이곳에서 식사하는 동안, 차를 마시는 동안, 그리고 내가 온갖 농담을 하는 동안에도 손 소협은 계속해서 내 미래의 아내를 훔쳐보았소. 그러면서 마치, 네놈은 그녀에 대해서 아무것도 모른다. 내가 더 잘 안다, 하는 식의 우월하고 비아냥 가득한 눈빛으로 나를 바라보았고. 그렇지 않소? 내가 착각한 것이오?"

"그렇소. 귀하께서 착각한 것이오."

"호오. 그런 거였소? 내 착각이었단 말이오?"

장백두는 웃으면서 화군악을 바라보았다. 화군악은 장백두의 눈빛이 생각보다 훨씬 진중하고 강렬하며 매섭다는 사실을 그제야 알게 되었다.

'미치광이에다가 바보인 줄로만 알았더니. 허어, 이거 마치 강 형님을 대하는 것 같네.'

화군악은 내심 장백두의 평가를 바꿨다.

어쩌면 이 작자, 오만함과 안하무인의 성격을 지닌 것처럼 위장하면서 실제로는 매우 치밀하고 섬세하며 날카로운 성격을 지닌 게 아닐까 싶었다.

만약 그렇다면 불쌍한 건 장백두가 아니라 외려 초운혜가 될 수도 있었다.

화군악은 그런 상념을 지우면서 천천히 입을 열었다.

"물론 초 소저를 보기는 봤소. 내 평생 이렇게 아름다운 소저는 처음이었으니까. 사내가 몰래 미녀를 훔쳐보는 건 당연한 일이 아니오? 아니, 오히려 훔쳐보지 않으면 더 가슴 아픈 일이 아니오? 내가 사내들의 눈길을 받지 못할 정도로 못생겼구나, 할 것 아니겠소?"

"호오."

장백두는 화군악의 괴상한 논리가 마음에 들었다는 표정을 지으며 고개를 끄덕였다.

"그러니 사내들이 몰래 훔쳐보는 것만으로 그녀가 미인이라는 게 증명되는 일이 아닐까 싶은데. 그런 미인을 정혼녀로 두었으니 얼마나 뿌듯하시오? 설마 귀하의 정혼녀가 뭇 사내들의 눈길을 받지 못하기를 바라는 것이오?"

"물론 아니오."

장백두는 웃으며 말했다.

"확실히 내 정혼녀가 뭇 사내들의 관심을 받으면 기분 좋소. 봐라, 너희들은 정면으로 쳐다보지도 못할 여인이 내 정혼녀다. 뭐 이런 생각도 들고 말이오."

"그럼 뭐가 문제요?"

"문제는 손 소협이 그런 눈빛으로 내 정혼녀를 훔쳐본 게 아니라는 데 있소."

장백두는 탁자 앞으로 몸을 쑥 내밀며 말했다.

"아까도 말했지만 손 소협은 마치 내 정혼녀를 잘 알고 있다는 듯이, 마치 과거에 그녀와 사귀기라도 한 것 같은 눈빛으로 훔쳐보고 또 내게 그런 의미를 담은 시선으로 보냈다는 점이오."

"하하하. 이거, 용한 점쟁이가 따로 없네. 눈빛만 보고 무슨 생각을 하는지 과거에 어떤 인연이 있었는지 다 알아맞히다니 말이오. 그 정도면 멍석 깔아야 하는 거 아니오?"

"내가 좀 신기가 있기는 하지만 용한 점쟁이 소리를 들을 정도까지 대단하지는 않소. 어쨌든 계속해서 말을 돌리고 문제를 외면하는 걸 보면 확실히 내 말이 맞는 것 같은데, 그렇지 않소?"

"전혀 아니오."

화군악은 딱 잘라 말했다. 그는 거짓 한 점 담겨 있지 않은 눈빛으로 장백두의 두 눈을 똑바로 바라보며 담담하게 말을 이어 나갔다.

"내가 초 소저에게 흑심이 있냐 하면 그건 아니오. 그저 평범한 사내가 눈에 확 띄는 미녀를 보았을 때의 놀람과 찬탄, 그 정도의 느낌이라 할 수 있소. 그리고 질투와 부러움이 담긴 눈빛으로 귀하를 바라봤지, 귀하가 말한 그 얼토당토않은 이유로 바라본 적은 없소."

거기까지 말한 화군악은 더욱 힘주어서 이야기했다.

"마지막으로 초 소저를 만난 적이 있느냐? 그럴 리가 있겠소? 일개 평범한 시골 촌부가 금해가의 금지옥엽을 어찌 만나 봤겠소? 천부당만부당한 말씀이오. 귀하가 생각하는 과거가 있었다면 정말 행복했을 것이오."

"흐음."

장백두는 화군악의 두 눈을 똑바로 바라보다가 살짝 고개를 갸웃거리며 입을 열었다.

"가끔은 내 신기가 맞지 않을 때가 있는데 오늘이 바로 그러한 경우인가 보오. 분명 내 신기는 그리 말하고 있는데 손 소협의 눈을 보아하니 거짓말을 하는 것 같지는 않으니 말이오."

"가끔은 그런 사람이 있기는 해요."

문득 초운혜가 끼어들며 말했다. 그녀는 화군악을 쳐다보지도 않고 장백두에게 사랑스러운 미소를 보여 주며 말을 이었다.

"세상에는 진실한 눈빛으로 상대를 바라보면서 태연자약하게 거짓말을 할 수 있는, 그런 못된 사람이 있답니다. 그러니 보이는 걸 모두 다 믿지는 마세요."

일순 화군악은 가슴이 철렁 내려앉았다.

'설마 날 알아보는 건가?'

그럴 리는 없었다. 얼굴도 변용하고 목소리도 바꿨다.

그때와는 전혀 다른 사람이 되어 있는 화군악을 그녀가 알아볼 리는 없었다.

'괜히 도둑 제 발 저리는 격이지.'

화군악이 그렇게 스스로를 안심시키고 있을 때 장백두는 초운혜의 말에 흥미를 느낀 것처럼 그녀를 보며 물었다.

"호오. 그럼 당신은 손 소협이 거짓말을 하고 있다고 생각하오?"

"죄송합니다만 제게는 신기가 없거든요. 그래서 거짓말을 하는지 진실을 말하는지는 모르겠어요. 단지 그런 사람들도 있다는 걸 말씀드리고 싶었을 따름이에요."

"흐음."

장백두는 묘한 신음을 흘리며 팔짱을 꼈다. 확실히 초운혜의 말은 애매모호해서, 화군악을 거짓말쟁이로 생각하는지 그렇지 않은지 알 수가 없었다.

"뭐, 상관없겠지."

장백두가 껄껄 웃으며 말했다.

"만약 내게 해가 된다면 멀리하면 되는 것이고, 내게 이익이 된다면 가까이 지내면 되니까. 세상의 이치가 다 그런 것 아니겠소? 하하하!"

화군악은 대답하지 않았다.

정말이지 묘하게 신경을 긁는 사내였다. 호탕한 것 같

기도 하면서 섬세한 것 같기도 하고, 대범한 것 같기도 하지만 소심한 것 같기도 했다.

정말이지 정체를 알 수 없는 자였다.

"그럼 하실 말씀이 다 끝난 것 같으니 우리는 이만……."

하면서 유 노대가 자리를 일어섰다. 화군악과 장예추도 따라 자리에서 일어났다. 그때였다.

3. 대치(對峙)

후다다닥!

선실 밖 복도를 달려오는 기척이 있었다.

"선실에 무인들이 있으시면 도와주십쇼! 생각보다 강한 수적들입니다!"

선부로 가장한 금담구객 몇 명이 선실 복도를 뛰어다니며 그렇게 외쳤다.

"이런, 쯧쯧."

그토록 바라던 사달이 일어났음에도 불구하고 장백두는 혀를 차며 못마땅한 표정을 지었다.

"생각보다 수적이 강하다니, 그렇게 말하는데 '그럼 내가 나서겠네!' 하면서 자리를 박차고 일어서는 자들이 몇이나 되겠어? 왜 저리 생각이 짧은지 모르겠군."

"하지만 오라버니는 자리를 박차고 나가실 거잖아요?"

초운혜가 웃으며 소곤거리자 장백두는 가슴을 내밀며 크게 웃었다.

"푸하하하! 물론이오. 나는 그런 겁쟁이에 좀생이와는 전혀 다르니까. 안 그렇소, 세 분 무림인들?"

장백두가 갑자기 화군악들을 돌아보며 물었다. 그는 장난기가 가득 찬 미소를 지으며 재차 물었다.

"세 분께서도 나와 함께 저 강한 수적들과 맞서 싸울 생각이시겠죠, 물론? 설마 시골 촌부니 뭐니 하면서 겁쟁이나 좀생이처럼 뒤로 뺄 생각은 없으시겠죠?"

"허허허. 거듭 말씀드리지만 우리는 진짜 시골 촌부……."

유 노대가 웃으며 사양하려 할 때였다. 화군악이 거친 목소리로 툭 내뱉듯 말했다.

"그럽시다."

유 노대가 살짝 당황한 기색으로 화군악을 돌아보았다. 화군악은 어깨를 으쓱거리며 말했다.

"시골 촌부의 주먹이 얼마나 매서운지 한번 보여 주는 것도 나쁘지 않을 것 같습니다, 유 노대."

"허어."

유 노대가 입맛을 다시자 장예추도 고개를 끄덕이며 말을 받았다.

"가만히 앉아서 겁쟁이에 좀생이 소리까지 들을 필요

는 없으니까요."

'허어…… 이런, 이런. 예추까지…….'

유 노대는 속으로 한숨을 내쉬었다.

'성질 급한 군악이라면 몰라도 예추까지 격장지계에 넘어가다니. 생각보다 저 장백두라는 아이의 언변이 참으로 무섭구나.'

유 노대가 새삼 장백두의 언변에 대해 생각을 달리하고 있을 때, 장백두가 자리에서 벌떡 일어나며 말했다.

"그럼 어서 나갑시다. 행여 늦게 나갔다가 좋은 장면을 제대로 구경하지 못할 수도 있으니 말이오. 아, 당신은 여기 있으시오. 혹시라도……."

"아뇨. 함께 나가겠어요."

초운혜는 배시시 웃으며 말했다.

"오라버니가 단단히 지켜 주신다고 했으니까 걱정 없어요."

"하하하! 맞소. 내가 당신을 지켜 주는데 무슨 걱정이겠소? 좋소, 갑시다."

그를 따라 초운혜도 자리에서 일어났다. 막 선실 문을 향해 걸어 나가려던 그녀가 문득 고개를 돌려 화군악을 바라보았다.

화군악은 움찔거리며 자리에서 일어났다. 그녀는 언제 그를 바라보았냐는 듯 빠르게 시선을 거두고 장백두를 따라 걸음을 옮겼다.

화군악과 장예추가 그 뒤를 따랐다. 유 노대가 고개를 설레설레 저으며 투덜거렸다.

"못난 것들."

선실 입구에는 황룡을 비롯한 오남일녀가 대기하고 있었다. 자신들의 선실에 있다가 이곳으로 모인 모양이었다.

장백두는 그들을 보고는 흡족하다는 듯 미소를 지으며 크게 고개를 끄덕였다.

"역시 태극천맹의 무인들이시구려. 강한 수적이라는 소리를 들었음에도 불구하고 이렇게 당당하게 나서시는 걸 보면 말이오."

황룡이 담담한 어조로 말했다.

"장 공자(公子)께서 움직이실 것 같아서 미리 대기하고 있었던 것뿐입니다."

장백두가 껄껄 웃으며 말했다.

"하하하! 알고 보니 용한 점쟁이는 이곳에 있었구려."

황룡이 무슨 뜻인지 몰라 고개를 갸웃거리는 가운데, 장백두가 서둘러 복도를 따라 걸었다. 사람들은 줄을 지어 그 뒤를 따랐다.

갑판으로 향하는 문을 열자 시원한 바람이 한차례 크게

불어왔다. 그 바람에 실린 투기와 살기가 축축한 빗물처럼 막 갑판에 올라서는 사람들에게 달라붙었다.

장백두는 거침없이 갑판을 걸어 나갔다. 우르르 몰려있던 선부들을 헤집고, 선부로 가장한 금담구객도 밀어내면서 선장 옆으로 다가가 걸음을 멈췄다.

"푸하하하!"

장백두는 팔짱을 끼면서 주위를 둘러보다가 큰소리로 웃음을 터뜨렸다.

"역시 내 생각이 맞았구려! 이 객선에 적지 않은 무림인들이 타고 있지만 모두 겁쟁이에 좀생이에다가 쥐새끼 같은 작자들이라 단 한 명도 갑판에 오르지 않았구려!"

그의 목소리는 사자후와 같아서 장강의 거센 물결과 바람 소리를 뚫고 사방으로 퍼졌다. 선실 안에 있는 사람들까지 충분히 들을 수 있을 정도로 큰 목소리였다.

하지만 그 목소리에 반응한 건 선실 쪽 사람들이 아니었다. 묘한 긴장감으로 대치하고 있던 수적들이 먼저 반응했다.

수적들이 눈을 부릅뜨고 살기가 번들거리는 시선으로 장백두를 노려보았다. 금방이라도 장백두를 향해 칼과 창을 마구 찔러 올 것 같은 험악한 분위기였다.

"음?"

장백두도 그런 분위기를 읽은 듯 고개를 갸우뚱하면서

수적들을 둘러보았다.

"날 알고 있소?"

그는 수적들을 향해 물었지만 대답은 돌아오지 않았다. 대신 갈고리가 걸려 있는 쾌속선에서 서너 명의 장한들이 훌쩍 날아들었다. 빠르면서도 안정감 넘치는 경공술이었다.

그 뒤를 따라서 네 척의 쾌속선에 남아 있던 수적들이 날렵한 몸놀림으로 객선의 갑판에 뛰어들었다. 놀랍게도 그 수가 무려 백에 이르렀다.

갑자기 갑판 위로 그렇게 많은 인원이 뛰어오르자, 객선은 균형을 잃고 선수가 크게 기울었다.

"물통을 옮겨라!"

놀란 선장이 빠르게 지시를 내렸다.

선부들은 무게 균형을 맞추기 위해 선수 쪽에 쌓아 두었던 물통들을 선실 뒤쪽으로 굴렸다. 금방이라도 꼬꾸라질 것 같았던 객선은 그제야 균형을 되찾았다.

'장강수로연맹의 수적들인가?'

조금 뒤쪽에서 수적들이 경공술을 펼치는 광경을 지켜보고 있던 장예추가 고개를 갸웃거렸다.

그저 칼을 휘두르고 도끼로 내리찍는 게 전부인 일반 수적들과는 달리 장강수로연맹의 수적들은 대부분 무공을 수련했다.

그들은 하오문의 잡배도 뒷골목의 불한당도 아닌, 무림의 한 축을 담당하고 있는 당당한 무림인들이었다.

또한 장강수로연맹에서 인정한 수채의 수뇌부들은 강호 일류급 무사들도 쉽게 감당할 수 없을 정도의 고강한 무력을 지니고 있었다.

사오 년 전이었던가. 장강수로연맹 중 열네 번째 자리에 있는 저 태평수채(太平水寨)의 채주가 오대검파(五大劍派) 중 하나인 형산파의 장로와 시비가 붙어 하룻밤을 꼬박 싸워 결국 무승부를 이뤘던 적도 있었다.

당시 형산파는 대노하여 태평수채를 괴멸하려 했지만, 장강수로연맹의 세력에 눌려서 오히려 사과의 말과 함께 적잖은 화해금을 태평수채에게 전하는 것으로 그 사건을 마무리했다.

그로 인해 한동안 형산파는 뭇 강호인들의 비웃음을 샀으며, 한편으로는 장강수로연맹의 위상이 어느 정도인지 세상 사람들이 제대로 인식할 수 있었다.

물론 형산파를 돕고자 하는 이들도 적지 않았다. 그들은 오대가문과 태극천맹이 이 일에 나서지 않는 걸 두고 성토하기도 했다.

하지만 태극천맹은 무림인 개개인의 싸움까지 태극천맹이 나서서 중재할 정도로 한가하지 않다는 식이었고, 오대가문은 아예 콧방귀도 끼지 않았다.

결국 그 일로 인해 형산파는 태극천맹에서 탈퇴했고, 지금은 형문파의 위세에 가려져 그 존재조차 희미하게 변했다.

이후 장강수로연맹의 위세는 더욱 높아져서 이제는 태극천맹과 녹림삼십육채, 그리고 장강수로연맹이 천하를 삼분(三分)하고 있다는 소리까지 나올 정도였다.

장예추는 객선의 갑판으로 뛰어오른 수적들을 보고, 그 날렵함이나 표홀한 경공술이 결코 평범한 수적의 그것일 리 없다고 생각했다.

최소한 저 장강수로연맹에 소속된 수채의 수적들이거나, 아니면 수적들로 위장한 또 다른 무림의 조직이 아닐까 하는 생각이 들었던 것이다.

특히 그중에서도 유난히 장예추의 눈에 띄는 자가 있었다. 백 명에 달하는 수적들의 선두에 서 있는 자.

오십 대 초로로 보이는 외모와는 전혀 어울리지 않는 근육질의 몸매. 나이보다 훨씬 더 늙게 보이게끔 만드는 백발.

그 둘이 만들어 내는 부조화 속에서 줄기줄기 뻗어 나오는 칼날 같은 살기와 강렬한 투기.

'도대체 왜 저렇게 분노하고 증오하는 거지? 누구를? 무슨 이유로?'

장예추는 그 백발의 사내가 바라보는 시선을 따라 천천

히 고개를 돌렸다. 그 시선이 머무는 곳에 한 건장한 체구의 사내가 있었다.

장백두.

그랬다. 지금 저 백발의 사내와 백 명의 수적은 당장이라도 잡아 죽일 것처럼 장백두를 노려보고 있었다.

'이런 수적의 평범한 노략질이 아니구나.'

장예추는 드디어 깨달았다.

지금 수적들은 객선을 점령하고 선부와 선객들을 죽이고 물건을 약탈하고자 이 갑판 위로 뛰어든 게 아니었다.

오로지 한 명, 장백두를 박살 내고 죽이기 위해서 수적의 행세를 하며 이 객선 위로 뛰어든 것이다.

"정말 이상하네."

정작 장백두는 고개를 갸웃거리면서 도저히 이해가 가지 않는다는 얼굴로 말했다.

"다들 처음 보는 얼굴인데 왜 나를 잡아 죽이지 못해서 안달하는 표정들일까? 아무리 생각해도 이 많은 사람들에게 그런 원한을 살 정도로 나쁜 짓을 한 기억은 없는데 말이지. 설마 다른 사람과 착각한 건 아닌지 모르겠네."

장백두는 일부러 수적들 들으라는 듯이 큰 소리로 떠들었다.

수적들의 무기를 쥔 주먹이 부들부들 떨렸다. 그 흉악한 기세만 보면 지금껏 참고 있는 게 용해 보일 정도였다.

그때 백발의 사내가 한 걸음 앞으로 걸어 나오며 천천히 입을 열었다.

"장백두."

2장.

의창표국(宜昌鏢局)

장백두의 말마따나
세상일이라는 건 누군가 이득을 얻으면 누군가 손실을 보게 되는 법이니까.
이득과 손실의 총합은 결국 영(零)이 되니까.

1. 새로운 걸물(傑物)

“장백두.”

장백두는 백발의 사내가 제 이름을 부르자 성큼 앞으로 걸어 나가며 대꾸했다.

“내가 장백두요. 귀하는 누구신지?”

백발 사내의 두 눈에 원념과 증오의 빛이 일렁거렸다. 그는 장백두를 쏘아보며 으르렁거리듯 물었다.

“네 죄를 네가 모르느냐?”

“모르오.”

장백두는 당당하게 말했다.

“내가 아는 건 내 이름이 장백두라는 것이고, 그 이름을 귀하가 불렀다는 것뿐이오. 도대체 귀하는 누구이기에 내 귀한 이름을 함부로 부르는 것이오?"

"노옴!"

백발 사내의 뒤쪽에 서 있던 수적들이 크게 흥분하여 소리쳤다. 백발 사내는 한 손을 들어 그들을 진정시킨 후 다시 장백두를 바라보며 말했다.

"그렇다면 형문파가 저지른 범죄들도 전혀 모른다는 것이냐?"

일순 장백두의 눈썹이 꿈틀거렸다. 그는 정색을 하며 차가운 어조로 말했다.

"나를 업신여기고 하찮게 여기는 건 상관하지 않소. 원래 내가 겨우 그 정도밖에 되지 않는 사람이니까. 하지만 본 파를 두고 비웃거나 함부로 모함한다면 결코 좌시하지 않겠소. 그러니 함부로 말하지 마시오."

"흥!"

백발 사내는 코웃음을 치며 입을 열었다.

"형문파가 이렇게까지 성장하고 거대한 세력을 자랑하는 문파가 될 수 있었던 건 수많은 이들이 흘린 피눈물 때문이라는 사실을 진짜 모르는 것이더냐?"

"모르오."

장백두는 무뚝뚝하게 말했다.

"하지만 하나는 알고 있소. 세상 모든 일이라는 게 누군가 이익을 취하면 또 반드시 누군가 손해가 난다는 사실을 말이오. 그러니 본 파가 성장하고 세력을 키우며 이익을 취하는 동안 그 반대급부로 피해를 보고 손실을 본 자가 있을 거라는 사실은 부인하지 않겠소."

'허어.'

그들의 대화를 지켜보던 유 노대는 저도 모르게 감탄하며 고개를 끄덕였다.

'장백두라는 아이, 생각 외로 훨씬 대단한 걸물(傑物)이로구나. 당당한 태도나 거침없는 언사나 인정할 건 인정하고 들어가는 모습이나 할 것 없이 결코 예사롭지 않은 인물임이 분명하다.'

유 노대는 장백두를 바라보며 속으로 중얼거렸다.

'세상 참, 넓다니까. 문파가 흥망성쇠를 거듭하는 가운데, 인재는 끝없이 나고 영웅호걸들은 그 맥이 끊어지지 않고 이어지는구나.'

한때 무림의 젊은 영웅호걸들은 무림십오군영이라는 열다섯 명의 기재로 대표되었다.

하지만 그들이 젊은 세대의 전부가 아니었던 것이다. 세상 사람들이 모르는 가운데, 아직 그 존재감이 미약한 가운데 장백두와 같은 걸물들이 새로운 영웅호걸이 되기 위해 준비를 하고 있었다.

'이제 나 같은 늙은이는 슬슬 역사의 뒤안길로 접어들

준비를 해야 하는 게 옳은 것 같다.'

그런 생각을 하자 왠지 처량한 기분이 들었다. 더는 쓸모없는 사람이 될지도 모른다는 생각이 자신을 너무나도 초라하고 비참하게 만드는 것이었다.

그렇게 유 노대가 의기소침해 있을 때, 백발 사내는 여전히 장백두를 향해 눈을 부라리며 말했다.

"뚫린 입이라고 말은 잘하는구나."

"과찬이시오."

장백두가 살짝 고개를 숙이며 말했다. 백발 사내는 더욱 분노의 눈길을 쏘아대며 말했다.

"하지만 네놈의 형문파가 이익을 취하려고 일부러 계략을 꾸며서 한 집단을 괴멸시켰다면? 그것도 네놈이 이해할 수 있는 범위의 일인가? 세상 사람들에게 알려져도 지탄받지 않을 것 같은가?"

장백두는 그제야 뭔가 떠오르는 생각이 있었나 보다. 그는 입을 다문 채 한참이나 백발 사내의 얼굴을 들여다보더니 "어?" 하며 눈을 동그랗게 떴다.

"설마 귀하는 의창표국(宜昌鏢局)의 사(史) 소국주(小局主)가 아니십니까?"

"푸하하하!"

장백두의 질문에 백발 사내는 앙천광소(仰天狂笑)를 터뜨렸다. 한참이나 하늘을 우러러 큰 소리로 웃던 사내는 이윽고 장백두를 노려보며 입을 열었다.

"오랜만이네, 장 공자. 그래도 이 사 모(某)를 알아봐 주니 정말 영광이네. 실로 가문의 영광이라는 말이네."

묵직하고 차분한 목소리 뒤에는 울분과 증오의 감정이 몸부림치고 있었다.

장백두는 멀뚱하게 그를 바라보다가 불쑥 물었다.

"아니, 그런데 백발은 웬 백발이시며 왜 그리 늙으셨답니까? 내가 알기로는 아직 사십 대라고 기억하는데요."

"푸하하하! 그걸 모른다는 말이지? 아니, 모른 척하는 것이겠지? 형문파가 우리 의창표국을 어떻게 함정에 빠뜨리고 괴멸시켰는지, 그리하여 우리의 모든 재산을 몰수하여 자신들의 것으로 만들었다는 사실을 모르는 척하는 거겠지?"

"아니, 진짜 모르오."

장백두는 거침없이 말했다.

"의창표국이 우리가 의뢰한 일을 실패하고 그 배상을 하던 가운데 파산했다는 건 사실이오. 하지만 우리도 그때 의창표국의 상황을 감안해서 무려 은자 백만 냥에 달하는 손해를 감수했소. 그건 기억나지 않으시나 보오?"

"흥! 은자 백만 냥의 손해를 감수했다고? 대신 우리가 소유했던 수만 평의 전답과 의창의 열일곱 채 누각은 누구의 소유가 되었지?"

"그건 우리가 합법적으로 사들인 게 아니오?"

"헛소리! 무려 은자 백만 냥 이상 가는 전답과 누각들을 겨우 일 할에 불과한 단 십만 냥에 사들인 게 합법적인 거래였단 말이지?"

"그 거래의 자세한 내용은 나도 잘 모르오. 하지만 만약 불법적인 거래였다면 응당 관아를 찾아가 따져야 했던 일이 아니오?"

"관아? 푸하하하!"

백발 사내, 사 소국주의 눈이 핏물로 가득 찬 것처럼 벌겋게 달아올랐다.

"이미 관계(官界)와 상계(商界)는 물론, 지역 호족들에게까지 모두 돈을 먹여서 제 편으로 만들어 놓고 무슨 관아를 찾아가란 말이냐?"

사 소국주는 울분을 토하기 시작했다. 그의 쉴 새 없이 이어지는 목소리는 절규에 가까웠다.

"아니, 그래도 찾아갔다. 이 억울함을 호소하고 정의의 판결을 받기 위해서. 하지만 관아의 놈들은 콧방귀도 뀌지 않았다! 오히려 나를, 의창표국은 무고와 모함을 했다면서 수십 대의 곤장과 함께 의창에서 쫓아냈다. 놈들은 두 번 다시 의창에 발을 디뎌 놓지 말라는 판결을 내린 것이다!"

그의 절절한 외침에 갑판 위에 모여 있던 모든 사람이

침묵했다. 누구 하나 입을 여는 자가 없었다. 심지어 저 장백두 또한 심각한 표정을 지은 채 굳게 입을 다물었다.

* * *

의창표국은 의창에서 백 년이 넘게 영업을 하면서 지속해서 성장해 온 표국이었다.

그들은 표국을 하면서 벌어들인 수익으로 논답을 샀으며, 또한 의창의 누각들을 하나둘씩 사들였다. 수만 평의 논답은 소작농들에게 빌려주고, 그 이익금을 챙겼으며 누각을 임대하거나 혹은 직접 경영하면서 수익을 올렸다.

그 과정을 지켜본 형문파가 그대로 답습을 했는지는 모르겠지만, 이후 형문파 또한 그런 식으로 재산을 불리고 증축하는 과정을 통해 현재의 상황까지 이르게 된다.

어쨌든 그렇게 해서 의창표국이 백 년 넘게 불린 재산은 무려 은자 이백만 냥의 가치를 뛰어넘었고, 파산하기 전까지만 하더라도 의창은 물론 호광 서쪽 일대의 최고 갑부 소리를 듣게 되었다.

하지만 의창표국은 십오 년 전, 형문파가 의뢰를 맡긴 물품을 도난당하면서 그 파멸의 순간을 맞이하게 되었다.

당시 형문파는 의창표국에게 백만 냥에 달하는 금괴(金塊)를 북경부까지 수송해 달라는 의뢰를 했다.

그 의뢰의 수수료만 하더라도 은자 이십만 냥의 거액이었지만, 아무리 의창표국이라도 은자 백만 냥의 의뢰를 혼자 맡을 수는 없었다.

의창표국은 주변 세 개의 표국과 의창전장(宜昌錢莊) 등을 끌어들여 이익을 나누는 대신 손실을 최소화하는 방식으로 그 의뢰를 수임했다.

무려 사 개 표국 이백여 명으로 구성된 표행이 구성되었다. 의창표국의 국주가 직접 나서서 표행의 행주를 맡고, 네 표국의 대표두들이 조장이 되어 책임을 나눴다.

그들은 마차 세 대에 금괴를 가득 싣고 표행을 나섰다. 육로를 이용하여 북상 후, 다시 동쪽으로 이동하는 여정이었다.

그렇게 무사히 낙양을 지나 정주로 들어설 때였다.

표행이 북망산(北邙山)에 이를 무렵, 갑자기 복면을 뒤집어쓴 수백 명의 산적이 그들을 기습하였다. 의창표국의 국주를 비롯하여 모든 표사들이 결사항전(決死抗戰) 분투했지만, 수백 명의 산적은 상상외로 강했다.

마치 산적 개개인 모두 무림 문파의 일류 고수라도 되는 양, 표사들은 그들의 칼과 검 앞에 속절없이 쓰러졌다.

결국 표행은 수십 명의 생존자만 남긴 채 모든 금괴를 산적에게 빼앗기는 것으로 마무리되었다.

움직일 수 없을 정도의 중상을 입고 돌아온 의창표국의 국주는 막대한 배상금을 처리해야 했다.

결국 당시 소국주였던 사왕천(史王天)이 전면에 나서 수습했지만 피해는 막대했다. 그 손실은 의창 제일 갑부인 의창표국을 파산에 이르게 만들 정도로 엄청났다.

그게 전부가 아니었다. 보증을 담당했던 의창전장이 파산을 선언하고 장주가 야반도주하는 사건이 터졌다. 그로 인해 모든 책임은 의창표국이 뒤집어쓰게 생긴 것이다.

사왕천은 평소 의창표국과 친하게 지내던 고관대작, 상계의 거물들을 만나며 도움을 요청했지만, 그들은 이미 의창표국의 파산을 예견한 듯 혹은 그렇게 만들고자 하는 것처럼 전혀 도움을 주지 않았다.

사왕천은 한숨도 자지 못한 채 보름 가까이 사람들을 만나며 이 사태를 해결하려 했지만 결국 소용이 없었다. 의창표국은 모든 재산을 잃고 문을 닫아야 했다.

그렇게 백 년이 넘는 세월을 풍미했던 표국이 무너지게 되었다. 명성을 구가하고 위세를 떨치는 데 소요된 세월은 백 년이었지만 무너지는 건 그야말로 한순간이었다.

2. 사왕천(史王天)

"이해가 가지 않소."

장백두는 천천히 입을 열었다.

"당시 의창표국은 우리가 의뢰한 백만 냥의 거금을 산적들에게 탈취당했소. 그 배상금이 이백만 냥이오. 그리고 연합했던 삼개 표국의 사상자에 대한 보상금이 대충 삼십만 냥이라고 하면 이백삼십만 냥이라는 거액을 토해냈어야 하오."

듣고 있던 객선 측 사람들이 웅성거렸다. 자신들이 상상했던 액수를 수십 배나 뛰어넘는 거액이었기 때문이었다.

장백두의 말은 계속해서 이어졌다.

"그래서 듣기로는 당시 부친께서 의창표국의 상황을 이해하시고 이백만 냥의 배상금 중 백만 냥을 받지 않기로 했소. 언뜻 생각하면 그래도 원금은 돌려받을 수 있지 않는가, 할 수 있지만 그건 아니오."

장백두는 사람들을 돌아보며 이해를 구했다.

"약속한 기일까지 북경부에 금괴를 가져다주지 못했기 때문에 발생한 손해, 잃어버린 신뢰, 그리고 다시 배송하는 데 걸린 시일의 비용 등등을 합치면 백만 냥의 배상을 받아도 솔직하게 손해였을 것이오. 하지만 부친은 결단을 내려서 그 백만 냥은 받지 않았다고 하셨소. 내 말이 틀리오?"

장백두는 사 소국주, 사왕천을 바라보며 물었다.

그에 사왕천은 "흥!" 하고 코웃음을 치며 팔짱을 꼈다.

"계속 말해 보시게."

"고맙소. 내게 발언의 기회를 주셔서."

장백두는 진지하게 말했다.

"어쨌든 당시 상황은 그렇게 종결되었소. 그런데 의창표국이 파산한 지 오 년 만에 귀하의 부친께서 의창 곳곳을 돌아다니며 '범인은 산적이 아니라 형문파다!' 하고 미친 소리를, 아, 죄송하오. 이건 말이 과했소. 하여튼 엉뚱한 소리를 하면서 돌아다녔소. 또한 그걸로 관아에 고발까지 했고 말이오. 내 말이 틀리오?"

사왕천은 여전히 눈을 부릅뜬 채 장백두를 지켜보았다. 할 말이 남아 있으면 끝까지 해 보라는 얼굴이었다. 그러자 장백두는 아직 할 말이 남은 듯 또다시 입을 열었다.

"그래서 관부에서 엄중하게 조사했지만 결국 귀하들은 모함과 무고죄로 의창에서 쫓겨났다고 들었소. 그걸 가지고 우리 잘못이라고 하면 안 되지 않겠소? 애당초 본 파가 잘못한 거라고는 아무것도 없소. 산적들에게 의뢰품을 탈취당하고는 애꿎은 본 파에게 그 책임을 뒤집어

씌우려고 한 것이잖소? 그리고! 무엇보다 나는 당시 열두어 살 어린 꼬마에 불과했소이다."

이제는 외려 장백두가 눈을 부릅뜨며 사왕천을 나무랐다.

"구태여 따지려면 본 파의 장문인께 따지든가 할 일이지, 나를 찾아와 떼를 쓰면 안 되는 것 아니오? 게다가 이 객선이 무슨 잘못을 했다고 이리 몰려와 사람들을 인질로 잡고 나를 협박하는 것이오? 이게 무슨 못되어 먹은 짓이오!"

사왕천은 잠자코 듣다가 불쑥 입을 열었다.

"우리가 수적이라고 생각했었나?"

장백두는 무슨 말인지 모르겠다는 표정을 짓다가 뒤늦게 그 질문의 의미를 알아차린 듯 씁쓸하게 웃으며 말했다.

"그렇소. 수적이라고 생각했소."

"우리도 그때 산적이라고 생각했네."

사왕천은 나지막하게 말했다.

분노가 하늘 끝까지 솟구치고 머릿속이 증오와 원념으로 가득 차게 되면 외려 지금 사왕천처럼 침착하고 차분하게 바뀔 수도 있었다.

"나도 그 자리에 있었다. 경험을 쌓는 한편, 다른 표국과의 인맥도 넓히기 위해서 따라나섰지. 그리고 그곳에서 목숨을 걸고 산적들과 싸워야 했네. 정말 처절한 싸움이었지만 결국 우리는 산적의 무력을 감당하지 못하고 처참하게 패배했네. 네 개의 연합 표국에서 뽑은 정예 무사 백 명 중에서 살아남은 건 겨우 이십칠 명에 불과했을 정도의 처참한 패배였다네."

"으음."

누군가 얕은 신음을 흘렸다. 그 처절했던 싸움의 광경이 눈앞에 어른거렸던 모양이다.

사왕천은 계속해서 말했다.

"물론 그때도 이상하다고 생각했지. 이름도 모르는 산채의 산적들이었으니까. 녹림삼십육채에 적을 올리지 않은, 철저하게 무명의 산적들이었네. 그런데도 우리는 패배했지."

사왕천은 자신의 주위를 둘러보며 말을 이었다.

"어떤가? 지금 우리들과 비슷하지 않나? 우리도 장강수로연맹에 적을 올리지 않은 무명의 수적들일세. 그래도 다들 강해 보이지 않나?"

"도대체 무슨 말을 하고 싶은 것이오?"

장백두가 물었다.

"그러니까 우리 형문파가 의창표국을 파산시키기 위해 일부러 산적 분장을 하고 나타나 표행을 망치고, 귀하들을 살해한 다음 금괴를 탈취해 도망쳤다는 말을 하려는 것이오?"

"잘 알고 있군그래. 마치 그런 일을 벌였던 것처럼."

"그건 귀하들이 계속 주장했다가 모함과 무고죄로…… 아니, 했던 말 또 하기도 지치니 이렇게 합시다."

장백두는 고개를 설레설레 저으며 말했다.

"증거를 보여 주시오. 그 우리가 그런 천벌을 받을 짓을 했다는 증거를 말이오. 만약 그런 증거가 있다면, 내 장백두라는 이름을 걸고 의창표국에게 본 파의 모든 재산을 넘길 테니까 말이오."

그는 자신만만하고 당당하게 말했다.

"흥!"

사왕천은 다시 코웃음을 치며 말했다.

"증거를 대라면 내가 못 댈 줄 아느냐? 바로 이 몸이 증거다!"

사왕천은 버럭 고함치더니 이내 제 상의를 와락! 찢었다. 장백두의 뒤쪽에 서 있던 초운혜가 깜짝 놀라며 고개를 돌렸다.

하지만 그녀는 사람들이 갑자기 웅성거리는 소리에 호기심을 느끼고 살그머니 고개를 돌려 사왕천을 바라보았다.

오십 대 후반으로 보이는 얼굴과 백발과는 전혀 어울리지 않은 탄탄한 근육질의 몸매였는데, 그 가슴에는 마치 호랑이나 표범의 송곳니에 당한 듯한 세 개의 상흔이 뚜렷하게 남아 있었다.

마치 아주 조그만 삼각형을 연상하게 하는 세 개의 검흔이었다.

"하마터면 이 검흔에 의해 목숨을 잃을 뻔했지. 아주 검을 기막히게 사용하는 작자였다."

사왕천은 장백두를 똑바로 노려보며 말했다.

"의창에서 모함과 무고로 쫓겨날 때만 하더라도 사실 아무 증거가 없었지. 그저 추측과 직감, 그리고 우리의 모든 재산을 갈취한 형문파 네놈들이 승승장구하는 모습을 보면서 그렇게 짐작했을 뿐이었다."

사왕천은 갑자기 당시의 기억이 떠오른 듯 잠시 말을 끊었다가 약간의 시간을 두고 다시 말을 이었다.

"그래, 그때는 몰랐다. 이 세 개의 검흔이 무얼 말하는지 말이다. 그런데 말이다. 하늘은 모든 걸 지켜보고 있더군. 실의에 잠겨 강호를 떠돌고 있던 어느 날 우연히 늙은 의생과 마주쳤지."

이야기하는 사왕천의 눈가에 물기가 스며들었다.

"이런저런 이야기를 하던 도중에 나는 이 검흔을 의생에게 보여 줬고, 의생은 어리둥절한 표정을 지으며 이렇게 말하더구나. '어라? 이건 형문파 초식 중 하나인 삼귀초살(三鬼招殺)의 흔적인데?' 하고 말이다."

일순 사람들은 저도 모르게 장백두를 돌아보았다. 장백두는 여전히 무심한 얼굴로 사왕천을 바라보고 있었다.

사왕천은 크게 한 번 웃더니 다시 말을 이어 나갔다.

"물론 그 늙은 의생은 '아, 확실한 건 아니니까.' 하고 얼버무렸지만, 나는 그것으로 확신할 수 있었지. 그래서 삼 년 전 형문파에 사람을 보내 그 삼귀초살이라는 초식이 진짜 존재하는지, 그리고 그 초식에 당하면 과연 이런 검흔이 남게 되는지 확인했다. 조평(曺平)!"

사왕천은 뒤도 돌아보지 않은 채 외쳤다. 수적들 사이를 비집고 한 명의 청년이 앞으로 걸어 나왔다. 그를 본 장백두가 깜짝 놀라 말했다.

"응? 자네는 왕평(王平)이 아닌가? 자네가 여기에는 왜?"

왕평, 혹은 조평이라는 이름을 가진 사내는 장백두를 향해 침을 뱉으며 소리쳤다.

"누가 왕평이라는 거냐? 나는 비명에 돌아가신, 의창표국의 대표두 조한부(曹翰浮)의 장남 조평이다!"

조평은 크게 소리치며 몸을 돌렸다. 그러고는 사왕천과 같이 웃옷을 찢어 아무렇게나 내던졌다.

조평의 벌거벗은 상체가 고스란히 드러났다. 그의 상처투성이 상체 오른쪽 위 끝에는 사왕천의 검흔과 똑같은, 조그만 삼각형 꼭지처럼 생긴 세 개의 검흔이 나 있었다.

조평은 그렇게 뒤돌은 채 다시 크게 소리쳤다.

"이게 무슨 자국인지 기억하느냐? 바로 네놈이 내게 새겼던 바로 그 삼귀초살의 검흔이다!"

이번에도 사람들은 웅성거리면서 장백두를 돌아보았다. 장백두는 가만히 조평을 바라보다가 탄식하며 중얼거렸다.

"그때 왜 이 초식에 대해서 꼬치꼬치 캐묻나 했더니…… 이런 계략을 꾸미고 있었구나, 왕평."

"왕평이 아니라 조평이라니까!"

"아니, 내게 있어서 너는 영원한 왕평이다. 언제나 밝게 웃으며 형님, 형님 하면서 나를 따르던 그 왕평 말이다. 함께 형문산 정상에 서서 언제고 반드시 저 천하를 우리의 것으로 만들자고 다짐했던 그 왕평 말이다."

장백두는 환하게 웃으며 말했다.

"그런 네가 하는 말이라면 무조건 사실이겠지. 그래! 믿는다, 왕평. 네가 그런 계략을 꾸민 데에는 그만한 이유가 있었을 것이고, 지금 당당하게 내 앞에 서서 그런 말을 한다면 그래, 그게 사실이겠지."

환하게 웃는 와중에 장백두의 눈가에는 눈물이 글썽거렸다. 심지어 그의 목소리는 처연하게까지 들려왔다.

그 광경을 보고 듣는 사람들도 목이 멘 장백두의 음성에 가슴 한편이 아려 왔다.

두 젊은 사내가 형문산 정상에서 막 떠오르는 해를 바

라보며 웅장한 야망을 토로하던 그 광경이 사람들의 망막 위로 스며들었다.

왕평, 아니 조평은 당황하여 소리쳤다.

"그럼 네가 삼귀초살의 초식을 사용하여 내게 이런 검흔을 남긴 걸 인정한단 말이더냐?"

장백두는 미소를 잃지 않은 채 고개를 끄덕였다.

"그래, 왕평. 네 말은 무조건 사실이다."

"아니, 인정하느냐는 말이다! 내 말이 무조건 사실이라고 말하지 말고!"

"그래. 인정한다. 네가 그리 원하는데 그깟 사실 하나 인정하지 못하겠느냐? 인정한다. 인정하고말고."

조평은 자신의 주장을 인정받았음에도 불구하고 가슴이 답답해졌다. 괜히 석연치 않은, 그리고 왠지 모를 씁쓸한 기분만이 마음 한구석에 남았다.

그때 사왕천이 다시 입을 열었다.

"그러니까 지금 네놈은 내게 새겨진 검흔과 조평에게 입힌 검흔이 같다고 인정하는 거렷다?"

장백두는 멀뚱하게 눈을 뜨며 고개를 저었다.

"아니."

사왕천의 눈가에 분노의 불길이 스며들었다. 장백두는 거침없이 말했다.

"나는 왕평에게 검흔을 입힌 걸 인정한다고 했지, 사

소국주의 검흔이 삼귀초살의 흔적이라고 인정하지는 않았소."

"그게 무슨 개소리냐!"

"아니, 흥분하지 마시고 들어 보오. 그 조그만 삼각형 모양의 검흔은 확실히 삼귀초살의 흔적이오. 하지만 삼귀초살이 아니더라도 그런 검흔은 얼마든지 만들어 낼 수가 있소. 내 말이 믿어지지 않소? 황 당주."

장백두는 황룡을 돌아보며 불렀다.

3. 오늘은 날이 아닌가 보군

'젠장.'

황룡은 속으로 한숨을 내쉬었다.

굳이 이런 구차하고 추접스러운 일에 끼어들고 싶지 않았다. 사실 자신의 세력을 넓히고 재산을 증식시키기 위해서는 '반드시'라고 할 정도로 타인에게 손해와 피해를 줄 수밖에 없었다.

장백두의 말마따나 세상일이라는 건 누군가 이득을 얻으면 누군가 손실을 보게 되는 법이니까. 이득과 손실의 총합은 결국 영(零)이 되니까.

게다가 강호에는 이 형문파나 의창표국의 상황보다 더

지독하고 악랄하며 추악한 일들이 빈번하게 일어난다.

태극천맹에 있으면서 그런 일들을 무수히 봐 온 황룡이었기에, 그는 장백두나 사왕천 누구의 편도 들어 주고 싶지 않았다.

'하지만 지금은 장백두를 호위하는 입장이니까.'

황룡은 어쩔 수 없이 한 걸음 앞으로 나서며 대답했다.

"부르셨소?"

장백두는 사람들을 향해 그를 소개했다.

"이분은 태극천맹 의창지부의 황룡 당주이시오. 사 소국주처럼 황 당주 또한 북성표국의 후계자이기도 하오."

사람들이 웅성거렸다.

태극천맹은 당금 무림천하를 지배하는 조직이며, 강호무림에서 일어나는 모든 사건을 중재하거나 즉결할 수 있는 권한을 지닌 곳이었다.

그런 황룡이 앞으로 나섰다는 건 그를 통해서 이 사건이 마무리될 수 있다는, 그런 희망적인 신호라고 객선 측 사람들은 생각했다.

반면 수적들, 아니 의창표국의 생존자들은 살짝 불안한 표정을 지을 수밖에 없었다.

손은 안으로 굽어지는 법이었다. 만약 저 황룡이라는 자에게 심판을 맡긴다면, 이미 몰락한 의창표곡의 생존자들보다 욱일승천하는 형문파의 손을 들어 줄 게 뻔했던 것이다.

장백두는 태연한 얼굴로 말했다.

"황 당주의 특기는 검에 있소. 그건 북성칠검이라는 그의 별호만 봐도 충분히 알 수 있는 일이오. 그럼 왜 그의 별호가 북성칠검이냐? 하면 검을 한 번 휘둘러서 일곱 개의 별과 같은 상흔을 만들어 내기 때문이오. 그렇지 않소, 황 당주?"

모든 사람의 시선이 자신에게 쏠린 가운데, 황룡은 무표정하게 대답했다.

"부끄럽지만 확실히 그렇소."

"그렇다면 혹시 삼귀초살과 같은 검흔도 만들어 내실 수 있겠소?"

'이럴 줄 알았다.'

황룡은 속으로 쓰게 웃었다. 하지만 겉으로는 여전히 무심한 목소리로 대답했다.

"가능할 것 같소."

"그럼 한번 검을 휘둘러 우리의 안계를 넓혀 주실 수 있겠소?"

"부끄럽지만 한번 해 보겠소."

황룡은 속으로 한숨을 내쉬고는 검을 빼 들었다. 햇볕 아래 검날이 눈부시게 번쩍였다.

황룡은 검을 고쳐 쥐고는 가볍게 심호흡을 하며 마음을

다스렸다. 그러고는 전면을 향해 빠르게 검을 내질렀다. 그의 검극이 파르르 떨리는가 싶더니, 그대로 조평의 바지를 꿰뚫었다.

깜짝 놀란 사왕천이 부르짖었다.

"어디에서 증인을 죽이려 하느냐!"

그는 벼락처럼 소리치며 검을 빼 들려고 했다.

하지만 이미 황룡은 검을 회수했고, 조평은 별다른 상처를 입지 않은 듯 태연하게 서 있었다.

그때 장백두가 소리쳤다.

"다들 왕평의 바지를 주목하시오!"

사람들은 일제히 조평의 바지를 바라보았다. 사왕천도 엉거주춤 검을 빼든 자세로 조평의 바지를 내려다보았다. 놀랍게도 그 바지에는 삼각형 세 꼭지처럼 생긴 세 개의 조그만 구멍이 뚫려 있었다.

"아!"

사람들은 저마다 탄성을 흘렸다. 장백두의 말처럼 어느 정도 숙련된 검의 고수라면 능히 그런 검흔을 남길 수 있다는 걸 직접 두 눈으로 보게 된 것이다.

"이래도 그 검흔이, 우리 형문파가 의창표국을 파멸시킨 증거라고 할 수 있겠소?"

장백두는 당당한 얼굴로 사왕천을 바라보며 말했다. 사왕천은 이를 갈았지만, 마땅히 답변할 말을 찾을 수가 없었다. 그런 가운데 장백두가 차분한 어조로 말을 이었다.

"사 소국주, 소국주의 억울하고 분함을 어찌 내가 이해할 수 있겠소? 하루아침에 모든 게 무너졌는데 지인들은 등을 돌리고, 채무자들은 어떻게든 돈을 받아 내려고 하고…… 그 기막힌 사정을 겪어 보지 않은 사람이 어찌 사 소국주를 이해한다 말할 수 있겠소?"

사왕천은 잡아 죽일듯한 눈으로 장백두를 노려보았다. 그러나 장백두는 여전히 담담하면서 차분한 목소리로 말을 이어 나갔다.

"하지만 이런 식으로는 안 되오. 만약 정 우리 형문파가 의심스럽다면, 보다 확실한 증거를 찾아오시오. 우리가 빼도 박도 못할 증거가 있다면 그때는 내, 사 소국주 앞에 엎드려 죄를 빌고 또 본 파의 모든 재산을 넘겨 드릴 테니까."

사람들은 저마다 고개를 끄덕이며 장백두의 말에 동의했다. 사왕천에게로 쏠리던 동정의 분위기가 어느덧 장백두에게 동조하는 분위기로 바뀌었다.

"그리고 왕평 너는……."

장백두는 조평을 바라보며 계속해서 말을 이었다.

"너는 언제까지나 내 동생이다. 나와 함께 무공을 수련하고 함께 밥을 먹던 식구란 말이다. 그러니 무슨 일이 생기면 날 찾아와라. 어떻게든 나만 찾아오면 된다. 그다음부터는 내가 알아서 알 테니까. 알겠느냐?"

사람들은 그의 말에 감명을 받았다. 심지어 조평마저도 눈빛이 흔들렸다. 하지만 조평은 곧 코웃음을 치며 고개를 돌렸다. 장백두와는 말을 섞지 않겠다는 행동이었다.

장백두는 그런 조평을 보며 가볍게 한숨을 쉬고는 다시 사왕천에게로 시선을 돌리며 물었다.

"이제 어떻게 하실 작정이오?"

사왕천은 저도 모르게 주위를 둘러보았다.

'이런 젠장!'

일순 그의 얼굴이 일그러졌다.

주위를 둘러보면서 그의 동료들과 수하들이 내뿜던 살기와 투기가 은연중에 상당히 퇴색되었다는 사실을 알아차린 것이다.

조금 전이라면 모르되, 이 상태에서 싸운다면 결코 승리를 장담할 수가 없었다.

상대는 장백두 혼자가 아니었다. 태극천맹의 당주와 그 수하들도 있었으며, 객선에서 기용한 호위 무사들도 있었다.

"아무래도 오늘은 날이 아닌가 보군."

사왕천은 허탈하게 웃었다.

"햇빛도 좋고 바람도 시원하고 물결도 거친 것이, 딱 장백두 네놈의 멱을 따기에 좋은 날이라고 생각했는데…… 그래도 하늘이 너를 조금 더 살려 두라고 하는 것 같구나."

사왕천은 장백두를 노려보며 말을 이었다.

"그래, 오늘은 이만 물러가마. 하지만 명심해라. 겨우 사십 대 중반인 내가 왜 이렇게 늙었는지, 왜 백발이 되었는지 알게 될 거다. 네놈이 잠잘 때나 밥 먹을 때, 그리고 계집을 옆에 끼고 희희낙락할 때, 언제든지 내 칼이 네놈의 목을 벨 수 있으니까!"

말을 마친 사왕천은 거칠게 침을 뱉었다. 그러고는 장백두의 대답은 들어 볼 필요가 없다는 듯이 곧바로 몸을 돌리고는 칼을 높이 쳐들며 소리쳤다.

"돌아가자! 오늘의 분함과 억울함은 내일의 승리로 갚아 줄 테니까! 다들 분노하고 또 증오하라!"

"와아아!"

그의 외침에 수적들은 크게 함성을 내질렀다. 그야말로 객선이 떠나갈 듯한 함성이었다.

사왕천이 훌쩍 몸을 날려 쾌속선으로 날아들었다. 수적들은 장백두를 향해 온갖 욕설을 퍼부으면서 그 뒤를 따랐다.

조평은 장백두를 물끄러미 바라보다가 살짝 고개를 숙이는 것 같더니 이내 쾌속선을 향해 뛰어내렸다.

'호오. 그래도 남은 정이 있었나 보네.'

장예추는 조평의 뒷모습을 바라보다가 이내 시선을 돌려 장백두를 보았다.

일순 장예추의 짙은 눈썹이 꿈틀거렸다. 수적들이 물러나는 모습을 지켜보던 장백두의 입가에 희미한 미소가 스며드는 걸 보았기 때문이었다.

한없이 차갑고 냉정한 미소.

조금 전 그렇게 열혈남아(熱血男兒)처럼 웅변을 토하던 장백두라고는 전혀 생각할 수 없을 정도로, 얼음처럼 차가워 보이는 미소가 그의 입가에 내려앉았다가 금세 사라졌다.

수적들은 객선에 걸려 있는 갈고리들을 떼어 내고 쾌속선을 물렸다. 쾌속선들은 객선에 다가왔을 때처럼 빠르게 물결을 가르며 순식간에 강비탈 쪽으로 자취를 감췄다.

짝!

갑자기 들려온 박수 소리에 사람들은 퍼뜩 상념에서 깨어났다. 그들은 손뼉을 친 장백두를 돌아보았다.

"죄송하오!"

장백두는 환하게 웃으며 말했다.

"본인으로 인해 이런 불상사가 발생했다는 점, 진심으로 사과하오. 아울러 하마터면 큰 싸움이 벌어질 수도 있었던 상황에서 여러분의 도움으로 이렇게나마 마무리 짓게 되어서 진심으로 감사하오."

'허어, 정말 언변 하나는 타고났구나.'

유 노대가 감탄하고 있을 때, 장백두는 계속해서 말을 이어 나갔다.

"그래서 여러 형제들께 사과의 의미로, 또 감사의 뜻을 담아서 은자를 포상하겠소! 다들 고생하셨으니 위아래 없이 각각 은자 백 냥씩 드리겠소이다!"

그의 말이 떨어지기가 무섭게 선부들이 크게 환호성을 질렀다.

"와아아!"

"역시 형문파 도련님이십니다!"

"감사합니다!"

"한 사람당 은자 백 냥이라니, 역시 장 공자는 통도 크시다니까!"

선부들은 기뻐서 어찌할 바를 몰라 하며 소리쳤다.

'허어, 사람 다룰 줄도 아는구나.'

유 노대가 또 한 번 감탄했다.

'우리 녀석들도 보고 배워야 하는데 말이지.'

그는 저도 모르게 장예추와 화군악을 돌아보았다.

장예추는 예리한 눈빛으로 장백두를 바라보고 있었다. 어쩌면 새로운 호적수를 발견한 눈빛이기도 했고, 또 어쩌면 적으로 삼으면 골치 아프겠구나, 하는 심정의 눈빛처럼 보이기도 했다.

반면 화군악은 아예 장백두를 바라보지도 않았다. 그는 오로지 장백두의 등 뒤에 숨은 듯 서 있던 초운혜를 응시하고 있었다. 그리고 놀랍게도 초운혜 역시 화군악의 시선을 피하지 않고 정면으로 바라보았다.

'오호.'

유 노대는 그 광경을 보고 내심 탄성을 올렸다.

'설마하니 저 장백두라는 아이의 말대로 군악과 저 아이가 서로 아는 사이였던 겔까?'

호기심이 먹구름처럼 피어올랐다. 유 노대는 새삼스럽게 초운혜를 바라보았다.

눈이 크고 콧대는 높고 매끄러웠으며 입술은 앵두처럼 붉은 것이, 확실히 아름다운 외모를 지녔다.

그리고 청순하고 착하게 보이는 인상이었지만, 동시에 마치 수많은 사연을 지닌 청루의 기녀처럼 퇴폐적이면서 처연한 분위기도 풍겼다.

그 상반된 인상이 서로 조화를 이루면서 더욱더 깊고 오묘한 아름다움을 만들어 내고 있었다. 장미로 치자면 분홍색 장미가 아닌 흑장미(黑薔薇)라고나 할까.

'흠, 초 방주가 금이야 옥이야 할 만한 아이로군그래.'

유 노대가 초운혜의 미모에 감탄하고 있을 때 마침 장백두가 뒤를 돌아보며 웃었다.

"하하하! 어떻소? 내가 당신을 반드시 지켜 준다고 한 약속을 지키지 않았소?"

초운혜는 언제 화군악을 바라보고 있었냐는 듯이 방긋 웃으며 장백두를 향해 말했다.

"정말 감탄했어요. 역시 대단하시네요."

"푸하하하! 뭘 그 정도로 감탄까지 하고 그러시오? 앞으로 감탄할 일들이 얼마나 많이 남았는데 말이오."

장백두는 거침없이 웃었다.

그야말로 세상이 모두 자신의 것처럼 호탕하게 웃는 장백두였다.

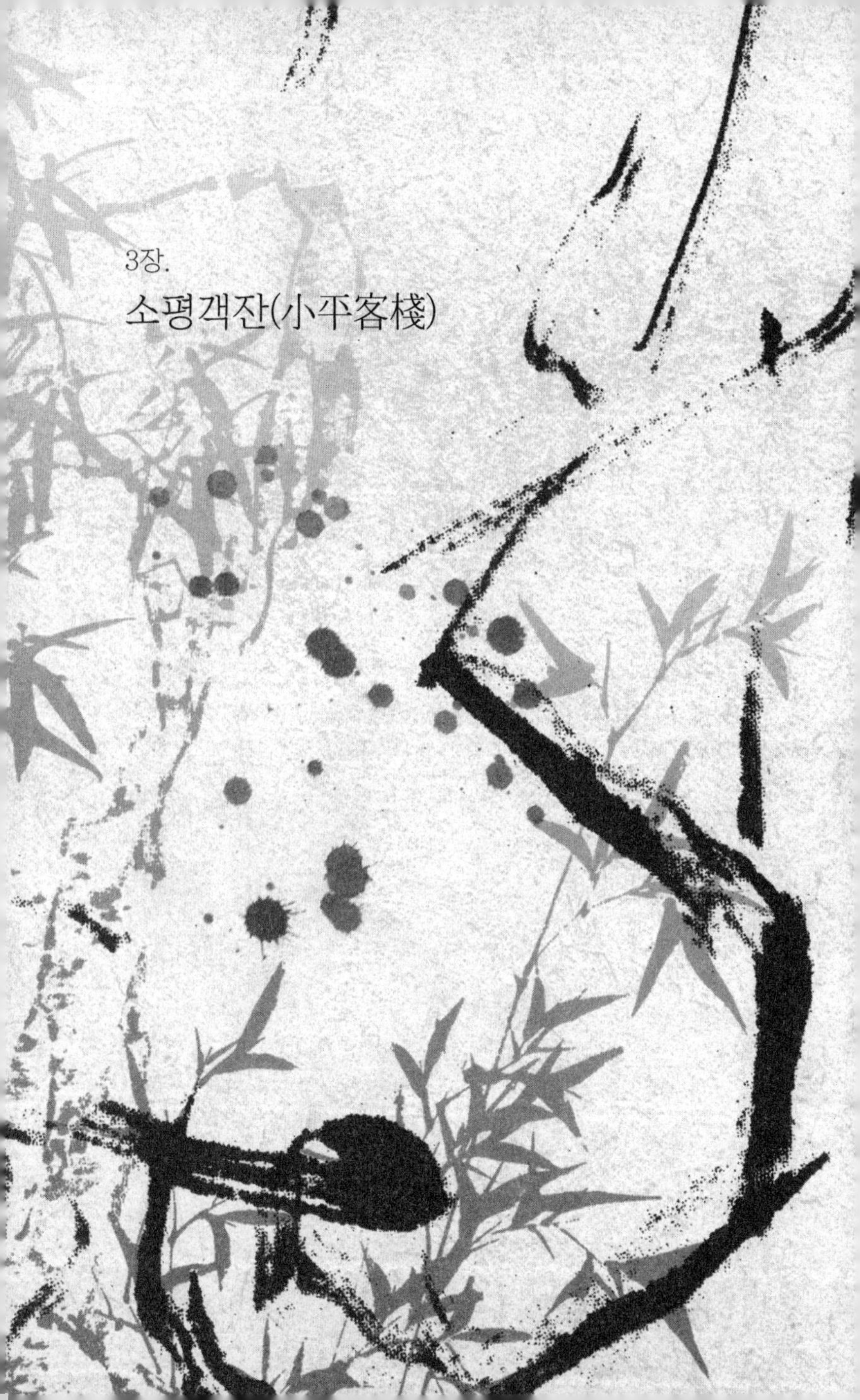

3장.

소평객잔(小平客棧)

"이 객잔 이름을 태평(太平)이 아닌 소평(小平)이라고 지은 거 말이야.
무림이니 천하니 하는 큰 평화까지는 바라지 않고,
자기 한 몸 행복할 수 있는 소소한 평화를 원한다고 해서
지은 거라고 했잖아?"

소평객잔(小平客棧)

1. 옛 친구

"날씨가 좋군."

말을 달리던 담우천은 문득 삿갓을 들고 하늘을 쳐다보며 중얼거렸다.

바람은 시원했고 햇살은 맑고 투명했다. 보이는 모든 것들이 반짝이고 있었다. 언제 겨울이었느냐는 듯이 이제 완연한 봄이 온 것이다.

"정말 날씨 좋네요."

담우천과 나란히 말을 달리던 나찰염요가 화사하게 웃으며 고개를 끄덕였다.

두 사람이 화평장을 떠나온 지 벌써 닷새가 넘게 흘렀

고, 때는 바야흐로 삼월 중순에 이르렀다.

객선을 타고 장강의 물길을 따라 동쪽으로 향하는 화군악 일행과는 달리, 두 사람은 말을 타고 관도를 따라 동쪽으로 내달리는 중이었다.

그렇게 관도를 따라 말을 질주한 그들은 불과 닷새 만에 귀주를 지나 호광성의 원릉현(沅陵縣)에 이르렀다.

원릉현에서 동북쪽으로 이틀 정도 말을 달리면 동정호가 나왔고, 동쪽으로 사흘 정도 달리면 장사(長沙)가 나왔다.

게서 다시 사나흘 말을 달리면 강서성의 남창(南昌)에 이를 수가 있었는데, 바로 그 남창부(南昌府)가 그들의 목적지였다.

"조 영감이 아직 남창부에 있을까?"

담우천은 말을 달리며 물었다.

관도를 힘차게 달리는 말발굽 소리가 요란했고 귓전으로는 바람 소리가 세찼다. 하지만 나찰염요와 담우천은 평소처럼 나지막한 목소리로 대화를 이어 나갔다.

"아무래도 그렇지 않겠어요?"

나찰염요는 차분한 어조로 대꾸했다.

"젊었을 때도 남창부를 떠나지 않았는데 늘그막에 와서 굳이 다른 곳으로 옮겨 갔을 리가 없잖아요?"

"그렇기는 하지."

담우천은 고개를 끄덕였다.

조 영감.

제대로 된 이름은 조태수(趙泰壽), 별명은 강서낭추(江西囊錐)였다.

낭추는 곧 낭중지추(囊中之錐)를 가리키는 줄임말, 그만큼 능력과 재주가 뛰어난 인물이었다.

만약 그에게 야망이 넘쳐흘렀더라면 일개 아호(牙戶)로 평생을 지내지 않았을 정도로, 조태수의 지혜는 뛰어났고 재주는 많았으며 능력이 탁월한 인물이었다.

늘 "먹을 만큼만 벌면 돼. 더 벌면 돼지가 되지."라고 중얼거리는 게 조 영감의 신조였음에도 불구하고, 그의 능력은 강소성 전역까지 퍼져서 결국 강서낭추라는 별호까지 얻게 된 인물이기도 했다.

"그런 자가 임자에게 푹 빠졌다는 것도 참 재미있는 일이군."

"어머나. 그건 제가 그만큼 대단하다는 건가요? 아니면 조 영감이 생각보다 형편없는 사람이라는 건가요?"

"나도 임자에게 빠졌으니까."

"아, 그럼 그만큼 조 영감이 사람 볼 줄 안다는 뜻이겠네요?"

"뭐, 그런 셈이지."

담우천은 하마터면 실수가 될 뻔했던 말을 고치느라 내

심 진땀을 흘려야 했다. 나찰염요는 그런 속사정을 다 알면서도 일부러 모르는 척 가만히 웃었다.

이틀 후, 그들은 동정호 남쪽 천 리 정도 떨어진 상담(湘潭)에 이르렀다. 상담은 북쪽으로는 장사부(長沙府)와 동정호, 그리고 남쪽으로는 형산(衡山)을 둔 현(縣)이었다.

담우천은 대로를 벗어나 인적 드물고 한적한 거리로 말을 몰았다.

담우천이 좌우를 둘러보거나 방향을 헤매지 않고 거침없이 말을 모는 것으로 보아, 이 근방의 지리는 이미 머릿속에 꿰차고 있는 듯했다.

그건 나찰염요도 마찬가지인 듯 보였다.

"소평객잔(小平客棧)에 머무실 건가요?"

나찰염요가 주위를 둘러보며 묻자, 담우천은 무덤덤하게 대꾸했다.

"아직 있으면."

"그러고 보니 벌써 십 년 가까이 흘렀네요. 그곳에서 마지막으로 묵었던 게."

나찰염요는 감회가 새롭다는 듯이 중얼거렸다.

"거기 우육면이 진짜 맛있었는데. 국물이 너무 진해서 조금 느끼하기는 했지만 말이에요."

"여자들에게는 너무 진하게 느껴지겠지. 하지만 사내들은 조금 달라. 정말 해장에는 최고였으니까."

"맞아요."

나찰염요는 웃으며 말했다.

"다들 숙취에 절어서 얼굴 찌푸리고 손가락으로 관자놀이를 누른 채 연신 국물을 들이켰죠. 늘 시간에 쫓겨 정신을 차릴 수 없을 정도로 바쁜 와중에도 이 주변에 오면 꼭 들러서 한 그릇씩 먹었던 기억이 생생해요."

기억을 더듬어 가며 말하던 나찰염요의 표정이 살짝 어두워졌다. 이어지는 목소리도 우울하게 들려왔다.

"그런데 이제는 우리 둘만 남았네요."

"그건 아니지."

담우천은 고개를 저으며 말했다.

"아직도 이매청풍(魑魅淸風)은 살아 있을 테니까."

나찰염요도 고개를 저으며 말했다.

"살아 있었다면 벌써 우리에게 연락해도 열 번은 넘게 했을 거예요."

"어쨌든."

담우천은 잘라 말했다.

"내 두 눈으로 직접 보거나 확인하지 않은 이상, 그는 아직 살아 있다. 반드시 말이지."

나찰염요는 뭔가 말을 하려다가 담우천의 굳게 다문 입

을 보고는 고개를 돌려 정면을 주시했다. 흉악하고 잔인해서 뭇 강호인들의 공포와 두려움의 대상이었던 나찰염요의 눈가에 희미한 물기가 맺혔다.

이매청풍은 나찰염요와 더불어, 동료들과 상부 조직의 배신 속에서도 끝까지 살아남았던 몇 되지 않은 생존자였다.

거기에 무투광자와 만월망량도 포함되어 있었으나, 무투광자는 지난날 담우천의 본부인이었던 자하를 지키다가 무적가 고수들에 의해 목숨을 잃었다.

만월망량은 자하의 죽음에 대해 알아보다가 유령교에 의해 스스로 목숨을 끊어야만 했고.

또한 이매청풍이 유령교 제자들에게 쫓겨 그 생사를 확인할 수 없게 된 지 이삼 년이 흘렀다.

그렇게 연락이 끊어진 지 수년이 흐른 지금 나찰염요는 포기했지만 담우천은 아직 포기하지 않았다. 아직도 그가 살아 있다고 믿고 있는 것이었다.

이윽고 두 사람은 서로 말이 없는 가운데 목적지에 당도했다.

소평객잔은 한적하고 외진 골목의 어귀에 있는 조그만 객잔이었다. 입구 앞에 펄럭이는 깃발은 누렇게 색이 바랜 지 오래되어 보였고, 마구간이나 별채도 없는 그야말로 마을 사람들을 상대로 영업을 하는 객잔이었다.

말에서 내린 두 사람은 객잔 안으로 들어섰다. 열 탁자도 채 되지 않은 조그만 공간의 대청이었다.

계산대 앞에는 예순은 족히 넘어 보이는 노인이 꾸벅꾸벅 졸고 있었고, 주방 앞 의자에도 두 명의 점소이가 서로 어깨를 기댄 채 잠들어 있었다.

늦은 오후이기는 하지만 그래도 손님이 한 명도 없어서 더욱더 을씨년스럽고 초라해 보이는 공간이었다.

"허험."

입구 앞에 선 담우천이 일부러 헛기침을 하자, 계산대의 노인이 눈을 비비며 잠에서 깼다. 그는 졸린 눈으로 담우천과 나찰염요를 쳐다보다가 다시 눈을 비비며 크게 떴다.

"응? 이게 누구신가?"

노인은 반색하며 말했다.

"담 행수와 염요(艶妖)가 아니신가?"

나찰염요가 방긋 웃으며 말했다.

"오랜만이야, 대두옹(大頭翁)."

아닌 게 아니라 노인의 머리는 일반 사람보다 훨씬 커서, 나찰염요보다 두 배는 되어 보였다. 노인, 대두옹이 껄껄 웃으며 말했다.

"대두옹이라니, 정말 오래간만에 들어 보는 별명이로군그래."

나찰염요는 고개를 갸웃거리며 물었다.

"요즘에는 사람들이 그렇게 안 불러?"

"허허. 대두옹이라는 건 애당초 자네들이 붙인 별명이라니까. 사람들은 이 몸을 두고 만박옹(萬博翁)이라고 부른다고 몇 번이나 이야기를 했누?"

"아, 그러네. 들어 본 적이 있어. 대두옹은 늘 자신이 모르는 게 없다면서 자랑했지. 세월이 흘렀어도 그 허세는 여전하시네."

"허허, 허세가 아니라니까. 아, 자리에들 앉으시게. 참, 밖에 말 울음소리가 들리는 걸 보니 마구간이 필요하겠구먼. 아이(阿二), 아삼(阿三)! 뭐 하느냐, 얼른 말들을 마구간에 넣지 않고!"

대두옹은 주방 앞에서 졸고 있던 점소이들을 향해 소리쳤다. 점소이들은 깜짝 놀라 자리에서 벌떡 일어났다. 그러고는 쏜살같이 대청을 가로질러 담우천과 나찰염요의 사이로 빠져나갔다.

낯선 자들에게 고삐를 잡힌 말들이 한두 번 요란하게 울더니 이내 조용해졌다. 아무래도 점소이들의 말 다루는 솜씨가 여간 예사롭지 않은 듯했다.

담우천과 나찰염요는 대두옹의 안내를 받으며 창가 쪽 탁자에 앉았다.

"마구간이 있어?"

나찰염요의 질문에 대두옹이 웃으며 말했다.

"아, 다른 객잔의 마구간을 빌리고 있다네. 한 번 사용할 때마다 사용료를 내는 형식으로."

"여긴 그대로네."

"세상에는 변하지 않아서 좋은 게 몇 개 있는데, 이 객잔 같은 게 그런 거지."

"호호, 게을러서가 아니고?"

나찰염요는 웃으며 말했다.

"뭐, 그런 것도 있지. 그래, 우육면하고 만두면 되려나? 술은 죽엽청? 안주는 돼지고기에 공심채볶음, 맞지?"

"응. 아, 그래. 여기 만두도 정말 맛있었지? 이제 기억나네, 그 폭신하면서도 쫄깃쫄깃한 식감 말이야."

"우린 발로 밟거든."

대두옹은 클클 웃으면서 담우천을 돌아보았다.

"여전히 입이 무겁구먼, 담 행수."

담우천은 희미하게 웃으며 말했다.

"내가 입을 열 시간을 줘야지 말이야."

나찰염요가 눈을 흘겼다.

"그럼 제가 수다쟁이처럼 떠들었단 말인가요?"

"누가 임자더러 그랬나? 대두옹보고 그랬지."

"응? 두 사람 분위기가 달라졌는데?"

대두옹이 담우천과 나찰염요를 번갈아 바라보았다. 나찰염요가 쑥스럽게 웃으며 말했다.

"그래. 우리, 부부가 되었어."

"부부가 되었다고?"

대두옹이 깜짝 놀랐다.

"그토록 원하더니, 잘되었구나!"

나찰염요가 재차 눈을 흘겼다.

"원하기는 누가 원했다고?"

대두옹이 헛기침을 하며 말했다.

"아니, 염요 말고 담 행수가."

담우천이 쓴웃음을 흘렸다.

"십 년 세월이 흘렀어도 여전히 염요에게 약한 건 어쩔 수 없나 보군."

대두옹이 어깨를 으쓱거리며 말했다.

"염요에게 강한 사내가 세상에 누가 있겠누?"

나찰염요가 새쭉한 표정을 지으며 말했다.

"헛소리 말고 가서 얼른 음식이나 가져오시지."

2. 대두옹(大頭翁)

만두(饅頭)는 속을 넣지 않고 밀가루 반죽만으로 만든

둥근 모양의 음식이었다. 속을 넣고 만든 만두는 따로 교자(餃子)라고 하는데, 이 시대의 사람들은 교자보다 만두를 훨씬 즐겨 먹었다.

만두를 손으로 찢어서 국물에 찍어 먹기도 하고 혹은 돼지고기나 오리고기를 얹어서 먹기도 하는 등 사람들은 만두를 주로 밥 대용으로 즐겼다.

"역시 맛있다니까."

나찰염요는 잘게 찢은 만두 조각을 우육면의 진한 국물에 담갔다가 꺼내 먹으며 연신 감탄했다. 그 폭신하면서도 쫄깃쫄깃한 식감은 좀처럼 느껴 볼 수 없는 만두의 진미(眞味)라 할 수 있었다.

대두옹이 자랑스럽게 말했다.

"한 시진 정도 정성과 열의를 쏟아 가며 발로 지근지근 밟으면 그런 쫄깃한 식감이 나오지."

"맛있게 먹고 있는데 자꾸 발로 밟았다는 소리 좀 하지마. 대두옹의 그 때 잔뜩 끼고 냄새에 절은 발이 떠오르잖아?"

나찰염요가 인상을 찌푸리며 투덜거렸다. 그러자 대두옹은 정색하며 말했다.

"무슨 소리. 나는 힘이 없어서 밟지도 못한다네. 저 젊은 녀석들이 깨끗하게 씻은 발로 밟는다니까. 그것도 밀가루 반죽을 베에 싸서 말이지. 그러니까 더러울 것도,

지저분할 것도 전혀 없거든."

"그건 나도 잘 알아. 하지만 자꾸 대두옹이 옆에서 발, 발 하니까 그 늙은 발이 떠오르는 게 당연하지 않겠어?"

"허어. 늙은 것도 서러운데 이런 괄시를 받다니."

대두옹은 짐짓 처연한 목소리로 한숨을 내쉬었다. 담우천이 소리 없이 웃으며 말했다.

"밥 먹을 때는 싸우지 말자고. 기껏 맛있는 우육면, 그 맛도 제대로 느낄 수 없으니까."

"암, 그래야지. 그럼 나는 계산대 뒤로 가 있을 테니까 필요한 게 있으면 불러 주시게."

대두옹은 재빨리 자리에서 떠났다. 나찰염요가 피식 웃으며 말했다.

"내게 약하니 뭐니 해도 결국에는 당신의 말 한마디가 최고네요. 말이 떨어지기가 무섭게 대두옹이 제자리로 돌아가는 걸 보니 말이에요."

"그런가?"

담우천은 짧게 대답하고는 다시 우육면을 먹는 데 집중했다. 나찰염요도 더 이상 말없이 만두와 우육면을 즐겼다.

이윽고 두 사람은 땀을 뻘뻘 흘려 가며 식사를 마쳤고 돼지고기와 공심채를 한데 볶은 요리를 안주 삼아서 죽엽청을 마시기 시작했다.

그들이 회상에 잠겨서 잠자코 몇 잔의 술을 비우고 있는 동안 하나둘씩 손님들이 대청에 들어서더니, 순식간에 좁은 대청이 손님들로 가득 메워졌다.

그들은 창가에 앉아서 술을 마시는 나찰염요를 보고는 깜짝 놀라거나 눈을 휘둥그레 떴다. 아무래도 그녀는 이 근방에서는 좀처럼 보기 힘든 미녀였으니까.

손님들은 자리에 앉은 후에도 연신 곁눈질로 그녀를 힐끗거렸다. 소리 죽여 음담패설을 나누는 자도 있었고, 심지어는 아예 들으라는 듯이 큰 소리로 떠드는 자들도 있었다.

"이야, 죽이게 생긴 엉덩이네. 한 번 씰룩거리기라도 하면 곧바로 싸겠는걸?"

"자네는 엉덩이만 보나? 저 탱탱한 젖가슴 좀 보게. 그 사이에 내 거대한 양물을 끼워 놓고……."

"거대한 양물이라니? 아니, 내 물건은 또 언제 훔쳐본 건가?"

그렇게 거침없이 음담패설을 늘어놓던 자들은 하나같이 대두옹의 주먹에 뒤통수를 얻어맞았다.

"아이쿠! 왜 그러십니까, 만박옹?"

"장난삼아 한 말을 가지고 평소답지 않게 왜 그리 성을 내십니까?"

대두옹에게 얻어맞은 그들은 소평객잔의 단골들인 듯 머

리를 감싸 쥐고 하소연했다. 대두옹은 혀를 차며 말했다.

"장난이고 농담이고 사람 봐 가면서 해야지. 내가 때리지 않았다면 벌써 다들 죽은 목숨이었네."

사람들은 그제야 담우천의 옆자리에 내려놓은 검집을 보고는 얼굴이 딱딱하게 굳어졌다. 음담패설의 대상이 무림인이라는 사실을 뒤늦게 알아차린 것이다.

이내 장내는 조용해졌고 사람들은 단 한 마디도 없이 술을 마시기 시작했다.

"미안하이."

대두옹은 걸상에 살짝 엉덩이를 걸치며 말했다.

"평소 우리 집을 찾는 손님들이라는 게 하나같이 저 모양들이라네."

"내가 그런 소리를 듣는 게 어디 하루 이틀 일인가, 뭐."

나찰염요는 아무렇지도 않다는 듯이 웃었다.

"그런 말에 일일이 대응했다면 천 명, 만 명을 죽여도 벌써 죽였을 거야."

그녀의 말에 음담패설을 했던 손님들은 사색이 되어 식은땀을 흘렸다. 몇몇 담이 약한 자들은 슬그머니 일어나 계산을 하고 빠르게 줄행랑을 치기도 했다.

"그건 그렇고…… 어디를 가던 참인가?"

대두옹이 두 사람의 얼굴을 살펴보며 물었다. 담우천이 차분하게 말했다.

"조 영감을 만나러."

"조 영감? 아, 강서낭추라는 조 늙은이? 흠, 그 늙은이를 왜 만나러 가는데?"

"볼일이 있어서."

"아니, 볼일이 있으니까 만나러 가겠지. 그러니까 무슨 볼일이냐. 이 말이지."

대두옹이 답답하다는 듯이 말하자 나찰염요가 보기 좋게 웃으며 말했다.

"팔 게 좀 있어. 제법 비싼 물건인데, 남들이 알면 귀찮아지는 물건이기도 해서."

"호오, 그래?"

대두옹의 눈빛이 반짝였다.

"그럼 굳이 조 영감을 찾아갈 이유가 어디 있나? 내가 팔아 주지. 어떤 물건인지 한번 봄세."

"제법 비싸다고 이야기했잖아?"

"흐으. 비싸 봤자 은자 십만 냥이겠지. 그 정도면 내가 처리할 수 있네."

"백만 냥이 넘어."

"뭐라고? 백만 냥?"

대두옹이 깜짝 놀라 소리쳤다. 일순 객잔 안의 모든 손님들이 그를 돌아보았다. 대두옹은 이내 자신의 실수를 깨닫고는 껄껄 웃으며 말했다.

"물론 임자의 미모가 확실히 백만 냥 가치를 하기는 하지. 그렇다고 자신의 입으로 그렇게 당당하게 말할 것까지는 없지 않은가?"

그의 너스레에 사람들이 낄낄 웃으며 고개를 돌렸다. 그러고는 다시 술을 마시면서 낮은 목소리로 소곤거렸다.

"아무리 그래도 은자 백만 냥은 너무했다."

"원래 예쁜 계집들이 오만하고 도도하기가 하늘 높은 줄 모르는 법이니까."

"하지만 벌써 삼십대 중반으로 보이는데, 십만 냥도 과분할 것 같은데 말이지."

"뭐, 어떤가? 내 돈 주고 잘 것도 아닌데."

비록 낮게 수군대기는 했지만 그렇다고 해서 손님들의 시시콜콜한 농담을 듣지 못할 나찰염요가 아니었다. 그녀는 앵돌아진 눈빛으로 대두옹을 노려보았다.

대두옹은 식은땀을 흘리며 손을 저었다.

"미안하이. 순간적으로 화제를 바꾼다는 것이 그 정도밖에 떠오르지 않았네. 정말 미안하네."

"뭐, 내 미모와 몸매가 은자 백만 냥 가치라는 데야 기분 나쁠 건 없지만, 괜히 그 말을 한 까닭에 다른 사람들의 술안주가 되었잖아?"

"미안, 미안. 내 사과의 의미로 오늘 밥값과 숙박비는 받지 않겠네. 그리고 또 조 늙은이가 어디 있는지도 공짜로 가르쳐 줌세.”

나찰염요가 고개를 갸웃거리며 물었다.

“지금 남창에 없어?”

“남창을 떠나 자리를 옮긴 지 한 이삼 년은 되었을걸?”

“그래? 그 남창을 벗어나면 도저히 못 살 것 같던 조 영감이? 어디로? 왜?”

“흠, 그럼 용서해 주는 겐가?”

“물론이지. 우리 사이에 용서하고 말 게 또 어디 있어?”

“허허. 역시 염요는 관대하다니까.”

대두옹은 껄껄 웃다가 문득 정색하며 말했다.

“이후 이야기는 사람들 없는 자리에서 하는 게 낫겠네. 조용한 방 하나 챙겨 놓을 테니, 게서 한잔 더 하며 이야기를 나눔세.”

대두옹은 그렇게 말한 후, 직접 이 층으로 올라가 담우천과 나찰염요가 묵을 방을 마련했다.

그동안 담우천은 술을 마시면서 대청을 둘러보았다. 일순 그의 눈빛이 살짝 흔들렸다.

구석진 자리에 앉아서 술을 마시고 있던 두 명의 사내들이 담우천 쪽을 바라보고 있다가 시선을 마주쳤기 때문이었다.

사내들은 눈이 마주치자 황급히 고개를 돌려 외면하고는 아무 일도 없다는 듯이 술을 마셨다.

'흠, 형산파 사람들이 왜 이런 허름한 곳에?'

담우천은 사내들의 청의무복(靑衣武服)과 청건(靑巾), 그리고 청색 수실이 놓인 검집을 보고 그들의 신분을 알아차렸다.

확실히 강호에는 수많은 문파가 있지만 이렇게 전신을 청색으로 도배하듯 입고 걸친 무림인들은 오로지 형산파 사람들밖에 없었다.

담우천은 천천히 술을 마시며 사내들을 관찰했다.

사십 대 중년 사내와 이십 대 초중반으로 보이는 청년이었다. 두 사람 모두 상당한 수준의 무공을 수련한 듯 안정된 자세와 고른 호흡을 하고 있었다.

일부러 과시하지 않는데도 불구하고 은은하게 흘러나오는 기세 또한 그들의 무위를 짐작하게 했다.

'형산파는 장강수로연맹과 싸우다가 결국 구파일방에서 탈퇴, 그 영향력이 현저하게 떨어지면서 쇠퇴 일로에 접어들었다고 하더니…… 아직도 건재한 모양이군그래.'

문파가 쇠퇴의 길에 접어들면 가장 먼저 눈에 띄는 게 하급 제자의 자질들이었다.

뛰어난 자질과 기재를 지닌 소년, 소녀들이 명문 문파를 찾는 건 본능과도 같은 일이었다.

그런 이유로 작금의 무림에서는 가장 뛰어난 인재들은 태극천맹과 오대가문으로 모여들고, 그 뒤를 이어 소림사나 무당파 같은 구파일방, 그리고 남궁세가의 무림오대세가처럼 수백 년 역사를 자랑하는 명문 가문 등을 찾았다.

그러니 형산파나 공동파처럼 쇠퇴기에 접어든 문회방파는 자질이 떨어지고 기재가 뛰어나지 않은 제자들만 입문하기 마련이었다.

그런 의미에서 볼 때 형산파는 아직 건재하다고 할 수 있었다. 최소한 저 이십 대 초중반으로 보이는 청년의 무위가 마주 앉아 있는 중년 사내와 견줄 정도라는 사실만 보면 그렇게 생각할 수가 있었다.

그때였다. 위층으로 올라갔던 대두옹이 층계 중간까지 내려와 담우천과 나찰염요를 불렀다.

두 사람은 곧장 자리를 떠나 이 층으로 향했다. 점소이가 부리나케 달려와 탁자 위의 술과 음식을 그대로 챙겨서 그들을 따라갔다.

손님들이 수군거렸다.

"저런 미녀와 잠자리를 가지면 얼마나 행복할까?"

"몸매도 죽여주던데, 저런 몸매가 조임도 좋거든. 아주 사내를 흐물흐물 녹일 것 같아."

"아서, 은자 백만 냥이라잖아."

"푸하하하! 맞아, 그랬지? 은자 백만 냥. 내 그 돈이 있으면 상담현에 있는 모든 청루의 기녀들을 데리고 평생 박고 살겠다."

"겨우 상담현의 기녀들로? 나 같으면 대륙 전역에서 내로라하는 기녀 천 명을 데리고 와서 아방궁(阿房宮)을 지어 거기에서 주지육림의 생활을 즐길 거야."

"흐음. 백만 냥으로 그게 가능할까?"

"호오, 그건 고민해 봐야겠는데? 아방궁처럼 호화로운 저택을 짓는 데 얼마나 들지? 그리고 특급 기녀 한 명 부르는 데 또 비용이 어떻게 되는지 알아야 하잖아?"

한참 나찰염요의 몸매와 미모를 가지고 음탕한 이야기를 떠들던 사람들은 갑자기 은자 백만 냥으로 과연 어느 정도의 호사를 누릴 수 있는지에 대해서 심각하고 진지하게 토론하기 시작했다.

대두옹이 안내한 방은 가장 구석지면서도 넓은 곳이었다. 창을 열면 바람이 시원하고 채광(採光)이 좋으며 거리의 조망(眺望)도 훌륭해서, 이 소평객잔에서 가장 비싸고 좋은 방임에 틀림없었다.

"원앙금침(鴛鴦衾枕)일세."

대두옹은 침상에 깔린 요와 이불을 두드리며 말했다.

"우리 객잔에 하나뿐인 물건이지. 언제고 내가 쓸 요량으로 사 둔 건데 말이네."

대두옹은 길게 한숨을 쉬며 투덜거렸다.

"나 좋다는 할미도 없으니 젠장."

나찰염요는 창가에 놓은 차탁 앞에 앉으며 웃었다.

"돈 벌어서 뭐해? 허름한 민가에서 제법 반반한 여자아이 하나 사면 되지."

"내가 또 자존심은 있어서 날 좋아하는 계집이 아니면 안 되더라고."

"그게 옳은 거야."

담우천은 나찰염요의 옆에 앉으며 말했다.

마침 점소이가 들어와 다시 술상을 차리고는 재빨리 방을 나서며 문을 닫았다.

"이 층에는 누구든 접근하지 못하도록 말을 해 두었네."

대두옹도 의자를 끌어다 당겨 앉으며 말했다.

"자, 그럼 본론으로 들어가세. 먼저 은자 백만 냥 이상의 물건이라는 것 좀 보자고."

대두옹은 침까지 흘릴 듯한 얼굴로 말했다.

담우천은 말없이 등짐을 풀어 탁자 위에 올렸다. 그리고 천천히 끈을 풀어 그 안의 물건들을 꺼내 펼쳤다. 그 물건들이 화려한 광채에 이내 방 안이 환해졌다.

"오호!"

대두옹은 침을 꿀꺽 삼키며 물건들을 주시했다.

등짐 속 보물들은 각양각색이었다. 보석들은 물론이거니와 여인들이나 사내들이 사용하는 장신구, 패옥 등 할 것 없이 온갖 값비싼 귀중품들이 초라한 등짐 속에 가득 담겨 있었다.

아닌 게 아니라 대두옹이 대충 살펴보아도 충분히 은자 백만 냥, 아니 이백만 냥은 족히 되어 보이는 보물들이었다.

"허어, 어디 십만대산에 존재한다는 월영동부(月影洞府)라도 턴 겐가?"

대두옹은 입맛을 다시며 물었다.

소문에 의하면 월영동부는 당대 최고의 신투였던 취몽월영(醉夢月影)이 평생 동안 훔치고 모은 모든 보물을 숨겨 둔 곳이었다.

십여 년 전 강호에는 그런 소문이 떠돈 적이 있었는데, 당시 수많은 무림인이 그 보물을 찾으러 십만대산으로 떠났다가 반 이상 불귀(不歸)의 객이 되었다. 물론 월영동부를 열어서 갑부가 된 자도 없었다.

언제나 소문은 소문으로 끝나는 법이었다.

3. 돈 욕심

"응? 왜들 그런 얼굴인가? 설마…… 이게 진짜 월영동부의 보물이란 말인가?"

농담 삼아 한마디 했던 대두옹은 담우천과 나찰염요의 표정이 예사롭지 않다는 사실을 깨닫고 화들짝 놀라며 물었다.

담우천이 묵묵히 고개를 끄덕이자 그걸 본 나찰염요가 웃으며 입을 열었다.

"맞아. 월영동부에서 꺼내 온 보물들이야."

"오오오! 월영동부라는 게 진짜 있었던 말인가?"

대두옹은 진심으로 놀라더니 다시 한번 등짐 속 보물들을 돌아보며 다시 입을 열었다.

"역시 월영동부의 보물들이로군그래. 하지만 그래도 생각보다 훨씬 양이 적어 보이네. 취몽월영이 평생에 걸쳐서 모았다는 보물치고는 말이지."

"이게 전부는 아니야."

"그럼 또 있나?"

"그야……."

나찰염요가 대답하려 할 때 담우천이 불쑥 입을 열어 그녀의 말을 가로챘다.

"십여 년 전의 월영동부 소문을 기억하나, 대두옹?"

"당연하지. 나도 가게를 접고 달려갈까 했었으니까."

"그때 무림인들이 싸우다가 월영동부를 무너뜨렸네."

"이런!"

대두옹이 무릎을 치며 아쉬워했다.

"진짜 욕심이라는 게 문제라니까! 세상 모든 일이 그 욕심 때문에 일어난다니까. 아니, 그곳을 발견했다면 발견한 사람들끼리 서로 골고루 나눠 가지면 되잖아?"

그는 한숨을 쉬며 말을 이어 나갔다.

"돈이 필요한 사람은 보물을, 무기가 필요한 사람은 신병이기를, 그리고 고수가 되고 싶은 사람은 무공을. 얼마나 좋아? 다들 부자가 되고 고수가 될 수 있는데 왜 그 간단한 걸 모르는지 몰라."

그는 남들보다 두 배는 큰 머리를 설레설레 흔들며 투덜거렸다.

"그렇게 사람들의 욕숨 때문에 무너질 월영동부였으면 차라리 나 혼자 그곳을 발견했어야 했네. 세상 사람 아무도 모르게 말이지."

'그건 욕심이 아니야?'

나찰염요가 속으로 웃으며 중얼거릴 때, 담우천이 무심한 표정을 지으며 입을 열었다.

"몇 년 전 우연히 그 근방을 지나다가 얻게 된 것들이다. 동굴이 무너지면서 그 틈으로 빠져나온 것일 수도 있겠고, 아니면 누군가 보물들을 옮기다가 흘린 걸 수도 있지. 어쨌든 우리가 가진 건 그게 전부야."

"흠, 정말 아까운데? 그럼 그 보물을 얻게 된 지역이라도 내게 말해 줄 수 있겠나? 나중에 한가할 때 한번 가 보게."

"뭐, 상관없지. 그곳은……."

담우천은 말하려다가 문득 입을 다물었다. 대두옹이 의아한 표정을 지을 때 담우천은 다시 입을 열었다. 조금 전보다 훨씬 낮은 목소리였다.

그는 나직한 어조로 월영동부의 위치를 설명했다. 대두옹은 담우천의 음성이 제대로 들리지 않는 듯 보다 가까이 의자를 당겨 앉고는, 연신 그 무거운 머리를 끄덕이며 머릿속에 단단히 저장해 두었다.

나찰염요가 미소를 머금은 채 그 모습을 가만히 지켜보다가 문득 고개를 갸웃거리며 입을 열었다.

"그런데, 대두옹."

"응? 왜?"

"이 객잔 이름을 태평(太平)이 아닌 소평(小平)이라고 지은 거 말이야. 무림이니 천하니 하는 큰 평화까지는 바라지 않고, 자기 한 몸 행복할 수 있는 소소한 평화를 원한다고 해서 지은 거라고 했잖아?"

"그렇지. 제대로 기억하고 있구먼."

"그럼 마음이 바뀐 거야? 소소한 행복 운운하던 사람이 죽을 때가 된 것도 아니고 갑자기 보물은 무슨 보물?"

"흐흐."

대두옹은 음흉하게 웃으며 말했다.

"사람의 가치관이라는 게 살다 보면 바뀔 수도 있고 그런 거라네. 또 돈이 갑작스레 필요해질 때도 있으니까."

"그럼 돈이 갑자기 필요해진 거야?"

"뭐, 그것까지 이야기할 건 없고."

대두옹은 한 차례 씨익 웃고는 이내 화제를 돌렸다.

"조 늙은이를 찾는다고 했지?"

"아, 맞아."

"그 늙은이 지금 악양에 있네."

"악양?"

나찰염요의 눈이 휘둥그레졌다.

"그래, 악양."

대두옹은 다시 웃으며 말을 이었다.

"그 늙은이, 나잇값도 못하고 그만 사랑에 빠졌지 뭔가? 기명(妓名)이 뭐였더라? 운화(雲華)였던가, 윤화(潤華)라고 했던가? 어쨌든 그 기녀가 악양의 기루로 팔려 갔는데, 조 늙은이도 그녀를 따라 악양으로 아예 이사를 갔다네."

"세상에나."

나찰염요가 믿어지지 않는다는 얼굴로 말했다.

"언제는 일편단심 나밖에 없다고 하더니, 그새 다른 여인을 사랑하게 되었다고? 다른 사람은 몰라도 조 영감만큼은 진심이라고 생각했는데. 에휴, 진짜 세상에 믿을 남자 하나 없다니까."

"그야 임자가 아예 틈도 주지 않았으니까. 아무리 일편단심이라고 해도 짝사랑 십 년이면 지칠 법도 하지 않겠나?"

대두옹이 웃으며 말했다.

"하지만 그녀는 달랐지. 물론 돈이 되는 손님이니까 그랬겠지만, 만나러 갈 때마다 살살 눈웃음치며 꼬리를 살랑살랑 흔드는 것이, 사람 애간장을 제대로 녹이더군그래. 아주 요물이더라고, 요물."

"응? 대두옹도 그녀를 만나 봤어?"

"아, 조 늙은이가 하도 자랑을 해야지. 그래서 얼마나 대단한 기녀인가 하고 한 번 만나러 간 적이 있었지. 그런데 진짜 대단하더라고. 왜 조 늙은이가 홀딱 빠졌는지 이해가 가더라니까."

"으음? 조 영감만 홀딱 빠진 거야? 대두옹도 그녀에게 빠진 건 아니고? 아! 그러네."

나찰염요가 뭔가 알았다는 듯이 손뼉을 치며 말했다.

"갑자기 돈이 필요해진 게 바로 그녀 때문이겠네. 그녀를 만나는 데 돈이 필요하니까. 아니, 아예 기적(妓籍)에서 그녀를 빼낼 돈이 필요한 것인지도 몰라."

나찰염요의 말이 뼈를 찌른 것일까, 대두옹은 식은땀까

지 흘리며 어색하게 웃었다.

"뭐, 내 사생활에 대해서 뭘 그리 궁금해하나? 게다가 내가 왜 조 늙은이가 침 발라 놓은 기녀에게 연연하겠나? 아니네, 아냐. 돈이 필요한 건 그런 이유가 아니라고."

"그럼 뭔데?"

"아니, 사생활이라고 이야기했잖누? 허험. 그건 그만 이야기하기로 하고. 어쨌든 조 늙은이는 지금 악양에서 예전 그 짓거리, 그러니까 사람도 소개하고 물건도 중개하는 그런 일을 하고 있다네."

대두옹이 소매로 이마의 땀을 닦으며 말을 끝내자 담우천이 곧바로 물었다.

"조 영감은 악양 어디에서 머물고 있나?"

"그건 모르지. 하지만 그 운화인가 윤화인가 하는 기녀가 팔려 간 기루는 알고 있네. 화화루(華華樓). 그곳에 가면 조 영감을 만날 수 있을 거네. 이틀에 한 번은 그곳에 들른다고 했으니까."

"흠."

담우천은 천천히 술을 따라 마셨다.

기루는 크게 술과 기예(技藝)는 물론 기녀의 몸까지 파는 청루와 그저 술과 기녀의 기예만 파는 일반 기루로 나뉜다.

두 부류의 기루 모두 최상급에 속한 곳이라면 기녀들의

기예 수준은 물론이거니와 그 미모 또한 선녀처럼 아름다웠으며 최고의 향응(饗應)을 받을 수 있었다.

그렇기에 최상급 기루의 술값과 화대(花代)는 비쌀 수밖에 없었고, 네 명이 함께 하룻밤 진탕망탕 놀려면 은자 오백 냥도 부족하다고 할 정도였다.

물론 세상의 모든 기루가 모두 그런 최상급 기루는 아니었다. 고관대작만이 출입할 수 있는 그런 기루가 있는가 하면, 일반 백성들이 즐겨 찾는 기루도 있고, 차마 기루라고 할 수도 없을 정도로 늙은 기녀가 술을 따르는 허름하고 더러운 곳도 있었다.

"어쨌든 푹 쉬게. 필요한 게 있으면 부르고."

대두옹은 끄응 하며 자리에서 일어났다. 나찰염요가 방문을 나서는 그의 등에 대고 웃으며 말했다.

"점소이들에게 행여 밖에서 엿듣지 말라고 해."

대두옹은 저도 모르게 움찔거렸다. 어쩌면 점소이가 아닌, 대두옹 본인이 엿들을 생각이었는지도 몰랐다.

"허허허."

대두옹의 어색한 웃음과 함께 문이 닫혔다.

담우천은 술잔을 든 채 중얼거렸다.

"악양이라……."

일순 그의 얼굴이 미묘하게 변했다. 그는 창가 쪽으로 시선을 돌렸다. 창은 물론 덧문까지 닫혀 있어서 밖의 풍경은 전혀 보이지 않았다.

"재미있군."

담우천은 굳게 닫힌 창문에서 시선을 떼지 않은 채 묘한 표정을 지으며 그렇게 중얼거렸다.

4장.

금상첨화(錦上添花)

좋은 스승, 강한 무공, 그리고 뛰어난 기재를 가진 제자.
이 세 가지야말로 모든 무인의 평생소원이니까.

1. 강호초출(江湖初出)의 애송이

집 밖을 나와 여행 중이었기 때문이었을까. 아니면 대두웅이 말했던 기녀 때문이었을까. 나찰염요는 평소보다 더 음탕하고 집요하게 담우천을 괴롭혔다.

그녀는 반듯하게 누운 담우천의 몸을 끈질기게 애무했다.

그녀의 음란하게 꿈틀거리는 혀는 담우천의 온몸을 핥았으며, 그녀의 달콤하면서도 부드러운 입술은 그의 모든 것을 빨아들였다.

"가만 누워 계세요. 제가 다 할 테니까."

나찰염요는 할딱거리며 그의 귀에 대고 속살거렸다. 그

살짝 쉰 듯한, 한없이 끈적거리는 목소리에 담우천의 몸은 경직될 대로 경직되었다.

그녀는 담우천의 몸에 올라탔다.

그녀의 몸이 천천히 움직이기 시작했다. 담우천은 저도 모르게 발가락에 힘을 주었다.

두 사람이 내뿜는 열락의 숨소리가 점점 더 커졌다.

방 안의 공기가 후끈 달아오르는 가운데 그녀의 움직임이 갑자기 빨라졌다. 그녀의 긴 머리카락이 거친 파도처럼 출렁거렸다.

철썩!

파도치는 소리가 방 안 가득 빠르고 요란하게 울려 퍼졌다.

그러던 한순간, 두 사람의 몸이 얼음처럼 멈췄다. 나찰염요는 이내 거친 호흡을 내뱉으며 담우천의 몸 위에 엎어지듯 무너졌다.

두 사람의 심장이 금방이라도 터질 것처럼 두근거렸다.

"두 명이다."

담우천은 호흡을 가다듬으며 나지막하게 말했다.

"두 명이네요."

나찰염요도 담우천의 가슴에 얼굴을 파묻은 채 그렇게 소곤거렸다.

“형산파 제자들인 것 같다. 대청에서 우리를 유심히 관찰하던…….”

담우천의 말에 나찰염요는 손가락으로 그의 가슴을 매만지며 소곤거렸다.

“그래도 명문 정파라고, 옷을 입을 때까지 기다려 주는 건가 보죠?”

“그렇겠지.”

“그럼 옷을 입지 않고 이대로 있으면 계속 눈치를 보면서 밖에서 서성일까요?”

“글쎄. 궁금하면 그렇게 해 봐.”

“궁금하지는 않아요.”

“그럼 옷을 입자. 그래도 손님을 너무 기다리게 하면 예의가 아니니까.”

“그럴까요? 아, 너무 좋았어요. 당신은요?”

“좋았다.”

나찰염요는 생긋 웃으며 쪽! 소리 나게 입을 맞춘 다음 천천히 자리에서 일어났다.

그녀는 옷을 들고 창가로 걸어가 마치 보라는 듯이 창을 활짝 열었다. 달빛 아래 그녀의 풍만한 가슴과 매끈한 복부, 잘록한 허리가 고스란히 드러났다.

나찰염요는 창밖의 풍경을 감상하면서 천천히 옷을 입었다. 그녀의 황홀할 정도로 아름다운 나신이 천천히 옷

속으로 사라졌다.

"짓궂군."

담우천의 목소리에 나찰염요는 미소를 머금은 채 등을 돌렸다. 어느새 담우천은 옷을 입고 침상 위에 정좌해 있었다.

"밤이슬 맞으면서 기다리고 있는데 눈요기라도 시켜줘야 하잖아요?"

그녀는 일부러 활달한 목소리로 말했다.

그때였다. 창문 밖에서 누군가 얕은 한숨을 쉬는 소리가 들려왔다. 그러고는 이내 정중한 목소리가 그 뒤를 이어졌다.

"죄송하오."

묵직하면서 예의가 깃든 목소리였다.

"몇 가지 여쭐 게 있어서 실례를 범했소. 널리 양해해 주시기 바라오."

사십 대 중년 사내의 목소리였다.

담우천은 정좌한 채 차분한 어조로 말했다.

"내자의 말마따나 밤이슬이 차갑소. 할 말이 있으면 들어와 하시구려."

"그럼 실례하겠소."

말이 끝나기가 무섭게 창밖에서 두 개의 신형이 방 안으로 날렵하게 날아들었다. 청의무복에 청건을 두른, 대청에서 눈이 마주쳤던 형산파 제자들이었다.

중년 사내와 청년은 담우천과 나찰염요를 향해 포권의 예를 취하며 말했다.

"다시 한번 무례를 사과드리오."

청년의 얼굴은 살짝 붉어져 있었는데, 아무래도 나찰염요의 그 아름답고 매혹적인 나신을 직접 본 모양이었다.

중년 사내는 계속해서 말을 이어 나갔다.

"이 몸은 형산파의 최대종(崔大鐘)이라 하오. 강호에서는 형산뇌검(衡山雷劍)이라 불리오. 그리고 이 아이는 형산천검(衡山天劍) 황은탁(黃誾濯)이라고 하오."

담우천은 아무 대꾸도 하지 않은 채 여전히 무심한 눈빛으로 두 사람을 바라보았다. 하지만 속으로는 살짝 놀라고 당황한 듯 그의 눈썹이 희미하게 꿈틀거렸다.

'형산파의 최고 기재들 아홉을 가리켜 형산구검(衡山九劍)이라고 하는데, 이들이 그 아홉 명 중 둘이로구나.'

그는 속으로 중얼거렸다.

'형산뇌검은 익히 들은 바가 있다. 하지만 형산천검이라는 별호는 처음 들어 본다. 게다가 이제 갓 약관을 벗어난 어린 친구가 형산구검 중의 한 명이라니.'

담우천이 놀란 건 바로 그 점이었다.

형산구검은 한때 강호에서 가장 강한 검객들 중 하나로 알려져 있었다.

정사대전 당시만 하더라도 전대의 형산구검은 수십 명의 사마외도 고수들을 죽이는 등 혁혁한 공로를 세운 바가 있었다.

하지만 결국 그들이 죽거나 중상을 입어 은퇴한 후, 형산파의 기세는 크게 기울기 시작했다.

일부 호사가(好事家)들이 지적하기를, 형산파가 저 장강수로연맹의 태평수채와 싸워 결국 패퇴한 이유가 거기에 있다고 할 정도였다.

'만약 저 젊은 친구를 보지 않았더라면, 형산구검에 이십 대 초반의 애송이가 있다는 것만으로도 형산구검 자체를 폄훼했을 것이다. 하지만 저 친구는 확실히 형산구검의 한자리를 차지할 능력과 무위를 지니고 있다.'

담우천은 황은탁이라는 청년을 유심히 바라보며 그렇게 속으로 생각했다.

한편 형산뇌검 최대종은 자신들의 문파와 별호를 밝혔음에도 불구하고 담우천과 나찰염요가 아무런 대답도 하지 않자 내심 살짝 불쾌한 감정이 스며들었다.

'흠, 구파일방에서 탈퇴한 형산파라고 해서 얕잡아 보는 모양이로구나.'

불쾌하면서도 씁쓸한 감정이 모락모락 피어올랐다.

하기야 이런 반응이 처음이 아니었으니까.

사오 년 전, 태평수채와의 다툼 끝에 결국 태극천맹과

구파일방에서 탈퇴하기로 선언한 후 형산파 제자들은 늘 이런 식의 반응을 겪었다. 사람들은 형산파 제자들을 앞에 두고도 반쯤 무시를 하거나 혹은 비아냥거렸다.

형산뇌검은 그런 속내를 감춘 채 겉으로는 태연자약한 표정을 유지하면서 말을 이어 나갔다.

"시간도 야심하니 곧바로 본론에 들어가겠소. 사실 본의 아니게 귀하들과 이곳 객잔 주인이 나누는 대화를 엿듣고 말았소. 귀하들이 월영동부의 보물을 가지고 있다는 이야기 말이오."

나찰염요가 부드럽고 요염하게 웃으며 말했다.

"설마 욕심이 생겨서 그것들을 우리에게서 빼앗을 생각인가요?"

"아닙니다. 그런 건 아닙니다."

청년, 형산천검 황은탁은 얼굴을 시뻘겋게 물들인 채 황급히 손을 내저으며 말했다.

그는 형산뇌검이 담우천에게 이야기하는 내내 나찰염요에게서 눈길을 떼지 못하다가, 그녀의 말에 형산뇌검보다 훨씬 빠르게 반응했다.

형산뇌검이 살짝 눈살을 찌푸렸다.

'경험 부족이 이런 부분에서 나타나는구나.'

어쩔 도리 없는 일이었다.

가진 바 무공과 자질이 뛰어나서 순식간에 형산구검의

일원이 되기는 했지만, 사십 대가 대부분인 다른 팔검(八劍)들과는 달리 황은탁은 아직 이십대 초반에 불과했다.

게다가 강호 경험이라고 해 봤자 겨우 반년도 되지 않은, 그야말로 강호초출(江湖初出)의 애송이었다.

강호 무림은 살짝 눈만 감아도 코를 베어 가는 곳이었다. 앞으로는 자신의 모든 길 내줄 것처럼 활짝 웃으며 반기면서도, 뒤로는 언제든지 상대의 심장을 찌를 수 있는 칼과 검을 쥔 곳이었다.

음약과 최혼제는 독 취급도 받지 않는 곳이었다. 한 방울만 입에 대도 일곱 걸음도 못 가서 비명횡사하는 독이 즐비한 곳이기도 했다.

한 걸음 잘못 발을 디디면 수백 수천 발의 화살이 날아들고, 눈에 보이지도 않은 미세한 침들이 쏘아지고, 심지어 온갖 환각에 빠져 정신을 차리지 못하고 미치거나 혹은 주화입마에 빠져드는 곳이 바로 강호 무림이었다.

온갖 흉계와 음모, 쉴 새 없이 벌어지는 배신과 이합집산으로 인해 누가 적이고 누가 아군인지조차 헷갈리는 곳이 강호 무림이었다.

그런 복마전과 같은 곳에서 눈치껏 버티면서 끝까지 살아남으려면 최소한 십 년 이상의 경험을 쌓아야 했다. 강호에서 이십 대 전후의 무림인들이 가장 많이 죽는 이유가 바로 그런 이유 때문이었다.

지금도 그런 경우라 할 수 있었다.

상대와 중요한 대화를 나누는 와중에 형산천검 황은탁은 여인의 미모에 홀려서 정신을 차리지 못한 채 대화에 집중하지도 못했다.

그렇게 방심하고 틈을 보이는 순간이야말로 적들에게 있어서 목숨을 빼앗을 수 있는 절호의 기회가 되는 것이다.

'하기야 그런 것들을 가르치고 알려 주기 위해서 내가 함께 있는 거니까.'

형산뇌검은 속으로 그렇게 생각하며 헛기침을 크게 했다.

"허험!"

여전히 나찰염요의 그 풍만하고 요염한 몸매에서 시선을 떼지 못하던 황은탁은 퍼뜩 정신을 차렸다.

비록 강호 경험은 부족하지만 그래도 눈치가 빠르고 영민한 구석이 있어서, 황은탁은 형산뇌검이 왜 헛기침을 하며 자신을 노려보는지 금세 깨달았다.

자신의 실수를 알아차린 황은탁은 또 다른 의미로 얼굴을 붉히면서 고개를 숙였다. 그의 귓불과 목덜미가 새빨갛게 달아올랐다.

'쯧쯧, 정말 어리다니까.'

형산뇌검은 속으로 혀를 찬 후, 다시 담우천을 바라보

며 입을 열었다.

"우리는 대명정대한 형산파의 제자들이오. 귀하들의 물건을 빼앗거나 훔칠 생각은 추호도 없소. 단지…… 그 무너졌다고 하는 월영동부의 위치를 알고 싶어서 이렇게 무례를 무릅쓰고 찾아왔소이다."

2. 형산파(衡山派)

'흠, 역시.'

그럴 줄 알았다.

담우천은 미미하게 고개를 끄덕였다.

안 그래도 담우천은 대두옹과 대화를 나누면서 뭔가 느낌이 이상하여 말을 멈춘 적이 있었다.

당시 담우천은 이목을 집중하여 주변의 기척을 살폈고, 창밖에서 누군가 엿듣고 있다는 느낌이 들어 더욱 목소리를 낮춰 말했다.

그 바람에 월영동부의 위치를 듣지 못한 형산뇌검과 형산천검은 깊은 숙고 끝에 그 위치를 알아내기 위해서 담우천을 찾아온 것이다.

"부탁드리오."

형산뇌검은 다시 허리를 숙이며 간절한 어조로 말했다.

"만약 그것이 형장께서 죽음을 각오할 정도의 비밀이었다면 이렇게까지 찾아오지 않았을 것이오. 형장께서 개의치 않고 객잔 주인에게 이야기한 거로 보아, 그렇게까지 엄중한 비밀은 아니라고 판단해서 이렇게 찾아왔소. 물론 부끄럽고 창피한 일이기는 하지만, 훗날 반드시 이 은혜를 갚을 터이니 그 위치를 말씀해 주셨으면 진심으로 감사하겠소."

담우천은 형산뇌검의 긴 이야기를 무심한 표정으로 들었다. 형산뇌검이 말을 마친 후에도 한동안 그는 입을 열지 않았다.

형산뇌검이 답답한 듯 입술을 깨물었다.

담우천은 여전히 눈을 가늘게 뜬 채 형산뇌검을 지켜보고 있었다. 견디다 못한 형산뇌검이 입을 열려는 순간, 담우천이 한숨을 쉬며 말했다.

"불과 사오 년 만에 형산파의 재력이 그렇게까지 무너져 내려앉다니, 쉽게 믿을 수 없는 일이로군."

일순 형산뇌검의 안색이 살짝 변했다. 반면 형산천검 황은탁은 깜짝 놀라며 저도 모르게 소리치듯 물었다.

"그걸 어찌 아셨습니까?"

"은탁아."

형산뇌검이 혀를 차며 그를 불렀다. 황은탁은 움찔거리며 고개를 숙였다.

"죄송합니다, 사형."

'사형?'

담우천은 가볍게 놀라며 두 사람을 바라보았다.

나이만 치자면 사제지간이라 해도 될 것 같았다. 최소한 한 배분 차이가 나는 숙질 관계인 게 정상일 텐데, 지금 황은탁은 자기의 나이보다 두 배는 족히 되어 보이는 형산뇌검을 향해 사형이라 부른 것이다.

'최소한 장로급 이상의 배분을 지닌 고수가 늘그막에 거둔 제자인 모양이로군. 흠, 그만큼 저 황은탁이라는 친구의 자질이 뛰어났나 보구나.'

일반적으로 무림인들은 마흔 살이 넘으면 슬슬 제자를 둘 생각을 하게 된다. 무인의 최절정기를 맞이했다가 슬슬 체력이 떨어지고 기력도 한계에 달했다는 생각이 드는 때가 바로 그 무렵이었다.

사십 대가 지나고 오십 대에 이르면 이제 움직임이 둔화하여 제대로 된 투로를 보여 주기가 힘들어진다. 무공의 시범보다는 투로를 펼치는 제자 옆에 쪼그리고 앉아서 이런저런 지적질만 하게 된다.

예순이 넘으면 그런 것도 귀찮아진다. 무림인의 평균 수명이 예순 언저리라는 걸 생각해 보면 언제 죽어도 전혀 이상하지 않을 때가 된 것이다. 물론 그것도 일반인들보다 십 년은 넘게 장수하는 것이지만.

아무튼 그 늘그막에 이르러서 제자 하나를 구해다가 한 사람의 몫을 해낼 무인으로 키운다는 건 생각보다 쉽지 않은 일이었다.

그래서 대부분의 무림인들은 마흔이 넘고 쉰 살이 되기 이전에 제자를 두어 자신의 모든 것을 전수해 준다.

그렇게 십 년 이상의 세월이 흘러 환갑 나이가 될 즈음, 비로소 그의 첫 번째 제자가 사부의 이름과 명예를 등에 업은 채 강호에서 활약할 수 있게 되는 것이다.

하지만 예외는 있었다.

바로 저 황은탁과 또 그를 거둔 형산파의 노기인처럼, 가만히 두고 볼 수 없을 정도의 출중한 기재를 지닌 소년이 있다면 당연히 앞뒤 사정 따지지 않고 자신의 제자로 거둬들이게 된다.

좋은 스승, 강한 무공, 그리고 뛰어난 기재를 가진 제자.

이 세 가지야말로 모든 무인의 평생소원이니까.

'확실히 그 정도 기재는 지닌 것 같다.'

담우천은 흥미로운 눈빛으로 황은탁을 바라보았다.

장강의 물결이 쉬지 않고 흐르는 것처럼 인재는 계속해서 태어나고 성장한다.

장강후랑추전랑(長江後浪推前浪)이라고 했던가.

새롭게 태어난 인재들이 옛 고수들을 밀어내고, 또 그

인재들이 고수가 되었을 때 다시 새로운 기재들이 그 뒤를 받쳐 준다. 그렇게 물레방아처럼 무림의 고수들은 끊임없이 사라지고 태어나기를 반복한다.

'그러고 보니 우리 아호도 많이 성장했지?'

담우천은 문득 담호를 떠올렸다. 그가 단 일격으로 서안 흑도를 장악했던 고굉을 때려눕혔다는 이야기를 기억했다.

담호가 지금처럼 성장한다면 과연 언제쯤 자신을 뛰어넘게 될까.

담우천의 입가에 희미한 미소가 새겨지려는 찰나, 동시에 위천옥이 떠올랐다.

담우천마저도 경직하게 만드는 괴물. 그 역시 약관이 채 되지 않은 소년이었다.

'벌써 슬슬 은퇴를 생각할 나이가 된 건가?'

담우천의 마음이 살짝 약해졌다.

한편 형산뇌검은 가슴을 두근거리며 담우천을 지켜보고 있었다.

'우리 형판사의 재정 상태가 형편없다는 걸 어떻게 알았을까?'

올해 들어 재정 상태가 극도로 나빠져서 제자들의 끼니까지 걱정해야 할 정도가 된 건 형산파의 극비였다.

그런데 이 낯선 사내가 어찌 그 사실을 알고 그리 말했던 것일까.

묻고 싶었지만 차마 입이 떨어지지 않았다. 타인의 입을 통해 우리의 가난한 사정에 관한 이야기를 듣는 그 수치와 모멸감은 결코 참을 수 없을 테니까.

'빌어먹을, 어쩌다가 이렇게 되었는지.'

형산뇌검은 이를 악물었다.

* * *

사실 이렇게까지 급격하게 무너질 정도로 형산파의 자본력이 허약한 건 절대로 아니었다.

형산파는 수백 년의 역사를 자랑하는 명문 거파였다. 제자들도 많았으며, 속가 제자들은 더욱더 많았다. 일반 제자가 아닌 속가 제자들은 관례상 제자가 되기 위해서 적지 않은 입문비(入門費)를 내고 형산파에 입문했다.

주로 지방 호족이 대다수인 속가 제자들은 형산파라는 간판을 얻기 위해서 상당한 금액을 투자했다. 그리고 적당히 무공을 배워서 다시 속세로 돌아간 후에도 일 년에 한 번씩 형산파에게 후원금을 내는 게 지난날의 관습이었다.

또한 태극연맹의 일원이 된 후로는 해마다 태극연맹 측에서 상당한 액수의 돈을 보내왔다. 태극연맹이 일 년 동안 벌어들인 금액을 각 문파의 활약 정도에 따라서 배분하여 나눠 주는데, 형산파의 생각보다 훨씬 큰 금액이 매년 꼬박꼬박 들어왔었다.

그렇게 거둬들인 돈으로 형산파가 지금의 형문파나 혹은 의창표국처럼 땅을 사고, 건물을 사는 등 적절히 투자를 했다면 작금의 사태는 일어나지 않았을 것이다.

하지만 형산파는 지난 수백 년 동안 그 입문비와 후원금이 계속되어 왔던 것처럼 앞으로 수백 년 뒤에도 계속해서 이어질 거라고 생각했다. 또한 태극천맹의 배분금 역시 매년 꼬박꼬박 들어올 거라고 믿어 의심치 않았다.

그런 까닭에 형산파는 풍족하게 돈을 사용하였고, 그로 인해 비축한 돈은 불과 형산파의 이 년 예산이 전부였다.

그 와중에 저 태평수채 사건이 터졌다.

형산파는 모든 인맥을 동원하여 장강수로연맹을 치려고 했다. 그 과정에서 적지 않은 돈이 사용되었다.

하지만 결국 그 계획은 수포로 돌아갔고, 외려 장강수로연맹과 태평수채에게 상당한 액수의 배상금을 물어야 했다.

화가 난 형산파는 뒤 한 번 돌아보지 않은 채 곧바로 태극천맹에서 탈퇴하고, 구파일방과 함께하지 않겠다고 선언했다.

그게 상황을 더욱 악화시키는 실착이었다는 건 일 년

정도의 세월이 흐른 뒤에야 알게 되었다.

형산파는 더 이상 구파일방의 한 축도 아니고, 태극천맹의 일원도 아니게 되었다.

그들의 입지는 급속도로 약화되었다. 심지어 장강수로 연맹 중의 하나인 태평수채와 형산파를 비교하는 자들도 없지 않았다.

형산파의 속가 제자들은 그 사실을 부끄러워했다. 또한 형산파라는 간판이 자랑스럽고 당당한 게 아니라 수치스럽고 조롱거리인 현실이 되자, 그들은 사람들 앞에서 더 이상 자신들을 형산파의 속가 제자라고 소개하지 않았다.

당연히 후원금이 끊어졌다. 자식들을 속가 제자로 보내겠다는 호족들도 자취를 감췄다. 태극천맹의 배분금도 사라졌다.

형산파가 먹고살 돈줄이 모두 끊긴 것이다.

뒤늦게 남은 잔고를 확인한 형산파는 기절초풍했다. 돈줄은 꽁꽁 묶였는데 불과 일 년 치 예산도 남지 않았던 까닭이었다.

형산파는 그때부터 허리띠를 졸라매고 긴축 재정에 들어가야 했다. 한편으로는 수천 명의 속가 제자들을 설득하거나 혹은 애원해서 일정 금액을 후원받아야 했다.

그리고 그 돈을 종잣돈으로 삼아서 투자하고, 재산을

증식했야만 했다.

하지만 형산파는 그때까지도 정신을 차리지 못했다. 잔고가 형편없다는 사실에 기절할 듯 놀랐음에도 불구하고 그들은 평소 소비하던 습관을 버리지 못했다.

뭔가 대책을 세워야 한다고 수없이 논의하면서도, 그들은 속가 제자들을 찾아가서 머리를 숙이거나 태극천맹에 재가입하겠다고 비는 일은 자존심과 체면 때문에 아예 말도 꺼내지 않았다.

그렇게 일 년의 시간이 흘렀다.

형산파의 비축금은 먼지밖에 남지 않았다. 당장 먹고사는 일이 급해지기 시작했다.

제자들은 형산 곳곳을 뛰어다니며 사냥을 했다. 평소에는 거들떠보지도 않던 토끼를 잡고 사슴을 사냥했다.

다시 일 년의 시간이 흘렀다.

형산파 장문인과 장로들은 매일처럼 회의를 열었다. 난상토론이 이어졌지만, 여전히 그들은 별 뾰족한 수단을 강구하지 못했다. 회의 자리에 차려지는 요리가 점점 초라해지고 술조차 변변한 게 올라오지 않게 되었다.

제자들의 사기는 떨어지고 그들을 가르치는 무공 교두들도 흥미를 잃었다.

그리고 올해가 되었다.

한밤중에 산에서 내려가는 제자들이 속출하기 시작했

다. 팔꿈치나 무릎이 찢어진 옷을 기워 입어야만 했다. 쌀이 떨어졌다. 그 많던 산짐승들이 어디론가 사라졌다. 쑥과 나물을 캐어 겨우 한 끼를 연명해야만 했다.

믿을 수 없게도, 이게 명문 거파인 형산파의 현재 모습이었다.

3. 더 강할지 몰라

특별한 임무를 맡고 하산한 형산뇌검과 형산천검이 좋은 주루와 객잔을 다 놔두고 이런 허름한 골목길에 있는 소평객잔을 찾은 이유 중 하나가 그것이었다.

돈이 없기 때문이었다.

돈이 세상 전부는 아니지만 대부분은 되었다. 먹고, 입고, 자는 것도 돈이었다. 심지어 체면과 자존심도 돈에서 나왔다.

허리춤에, 소매 춤에 땡전 한 푼 없으면 절로 허리가 굽어지기 마련이다. 돈이 넘쳐흐르면 어디에서고 배를 내밀고 당당할 수 있었다.

그래서 형산뇌검은 이 치욕과 수치와 모멸감을 참으면서 담우천에게 애걸하는 중이었다.

만약 이 뛰어난 막내 사제가, 그 밝은 귀로 이 층에서 들려온 월영동부 운운하는 이야기를 듣지 못했더라면, 그리하여 황급히 대청을 나와 이 층 담우천의 거처 근처까지 다가가지 않았더라면 이 한 가닥 실오라기처럼 가느다란 구명줄을 잡지는 못했을 것이다.

'제발 좀 말을 해라, 이 친구야!'

형산뇌검은 이를 악문 채 속으로 외쳤다.

그의 이야기를 모두 들었음에도 불구하고 저 무뚝뚝한 인상의 사내는 쉽게 입을 열지 않았다. 외려 "형산파의 재력이 그렇게까지 무너져 내려앉다니." 하는 가슴 찢어지는 말만 하고 있는 것이다.

그때 나찰염요가 입을 열었다.

"깨끗하게 빨아 입은 것 같기는 하지만, 색은 바래고 옷감은 늘어졌어요. 보통 하산하는 제자들에게는 새 옷을 입혀 보내는 게 일반적인 경우이니 상당히 예외적인 일인 것 같죠?"

그제야 형산뇌검은 담우천이 어떻게 형산파의 재정 상태를 알게 되었는지 깨달을 수가 있었다.

무릇 모든 문파, 특히 명문 거파일수록 문파의 체면과 자존심을 생각해서라도, 강호행을 위해 하산하는 제자들에게는 새 옷과 새 신발을 맞춰 준다.

괜히 평소 입고 다니던 허름한 옷을 입었다가 타 문파 사람이나 강호 동도로부터 얕잡아 보일 필요는 없으니까.

형산뇌검과 형산천검 역시 이번에 하산하면서 나름대로 깨끗한 청의무복과 청건을 걸쳤다.

하지만 재정 상태가 악화된 지 수년, 제대로 쌀조차 살 돈이 없는 그들에게 새 옷과 새 신발은 무리였고, 결국 이런 식으로 눈썰미 좋은 두 사람에 발각당한 것이다.

"사실 그렇소."

형산뇌검은 차라리 죽는 게 속 편하겠다고 생각하면서 입을 열었다.

"수년 전의 사고로 인해 본 파의 재정은 갈수록 악화되었소. 그래서 특단의 조치로 대륙 전역에 퍼져 있는 속가 제자들을 만나 그들의 도움을 받기 위해서 하산한 참이오."

그의 말에 담우천은 속으로 혀를 쯧쯧 찼다.

'그 백도 정파 특유의 깐깐함과 체면, 자존심 등의 문제로 인해 버틸 때까지 버티다가 이제야 손을 내밀었겠군.'

그의 추측은 정확했다.

야반도주하는 제자들이 점점 늘어나게 되자 형산파 수뇌부들은 그제야 비로소 사태의 심각성을 깨달았다.

한 줌 거리도 안 되는 체면과 자존심을 생각할 때가 아니라고 판단한 그들은 결국 형산구검 등 형산파의 중진 고수들에게 돈을 구해 오라는 지시를 내리게 되었다.

"그런데 때마침 월영동부 이야기가 들렸고, 그게 사실

이라면 속가 제자들에게 폐를 끼치지 않고서 본 파의 상황을 해결할 수 있지 않을까 생각했소. 그래서 이렇게 무례를 무릅쓰고 두 분을 찾아온 것이오."

형산뇌검은 다시 한번 손을 모으며 허리를 굽혔다. 형산천검 황은탁도 그를 따라 황급히 허리를 숙였다.

"부디 말씀해 주시기 바라오. 이 은혜, 여기 있는 두 사람뿐만 아니라 형산파 모든 제자들이 잊지 않고 반드시 갚아 드리겠소."

담우천은 곰곰이 생각했다.

사실 월영동부의 위치를 말하는 거야 그리 어려운 일이 아니었다. 그곳에 매장되어 있던 대부분의 보물은 이미 그들과 십만대산의 소수 부족들이 모두 챙긴 후였으니까.

게다가 대두옹에게도 알려 준 후였으니 한두 명 더 알려 준다고 해도 상관이 없었다.

'하지만 이걸로 조금 더 형산파를 얽어맬 방법이 필요하다. 오대가문이나 태극천맹과 싸울 때 그들의 도움을 받을 수 있다면 그야말로 금상첨화이니까.'

담우천의 고민은 바로 거기에 있었다.

장강수로연맹과의 다툼 이후 형산파는 태극천맹과 오대가문에 환멸을 느끼고 그들로부터 떨어져 나갔다. 아직도 그 분하고 억울한 마음은 지워지지 않았을 것이다.

아니, 상황이 이렇게 된 만큼 더욱더 그들을 증오하고 있을 것이다.

'지금의 상황과 그 부분만 제대로 엮는다면…….'

담우천이 그렇게 고민하는 동안 형산파 두 제자는 허리를 숙인 채 어찌할 바를 몰라 하고 있었다.

그때 나찰염요가 부드럽게 웃으며 말했다.

"게서 그러고 있지들 마시고 자리에 앉아 잠시 숨을 돌려요, 우리."

그녀는 직접 두 사내의 소매를 잡아 일으킨 후 탁자로 끌고 가 자리에 앉혔다.

형산천검 황은탁은 저도 모르게 마른침을 꿀꺽 삼켰다.

나찰염요가 닿을 듯이 가까이 다가서자 한없이 달콤하고 향긋한 향기가 그녀에게서 흘러나왔다. 그 풍만한 가슴이 황은탁의 어깨를 스치듯 지나치는 순간, 그는 온몸이 딱딱하게 경직되었다.

"자, 다들 한잔하시고요."

나찰염요는 술을 따르려다가 문득 "아!" 하며 웃었다.

"미안해요. 우리가 마시던 술잔인 걸 깜빡 잊었네. 잠시만 기다리세요."

그녀는 두 사람을 앉혀 놓고 방을 빠져나갔다. 담우천은 여전히 침상 위에 정좌한 상태였다. 어색하기 이를 데

없는 침묵이 방 안 가득 내려앉았다.

"어떡하죠?"

당황한 황은탁이 사형에게 나지막한 목소리로 물었다. 형산뇌검은 가볍게 인상을 찌푸리며 중얼거리듯 말했다.

"우리가 먼저 허리를 굽힌 이상 상대가 하라는 대로 할 수밖에 없지 않겠느냐? 그보다 너무 그렇게 상대를 뚫어지게 바라보는 것도 예의가 아니다."

"아, 아…… 죄송합니다."

"휴우. 앞으로 네게 가르쳐야 할 게 너무 많구나. 무엇보다 너는 싸움 같은 실전 경험보다 먼저 여자에 대해서 배워야 할 것 같다."

형산뇌검의 말에 황은탁의 얼굴이 달아올랐다. 형산뇌검이 다시 혀를 끗끗 차며 말했다.

"그 얼굴 붉히는 것도 고치고. 이거야 원, 산에 있을 때만 하더라도 그렇게 당당하고 배짱이 좋더니…… 산에서 내려오자마자 그게 무슨 모습이더냐?"

"죄송합니다."

황은탁은 다시 사과하며 고개를 숙였다. 형산뇌검은 그를 가만히 바라보다가 다시 나지막한 목소리로 말했다.

"죄송할 것 없다. 다 경험 부족이니까. 이삼 년 강호의 모진 바람을 쐬다 보면 절로 다 나아질 것들이다. 사실 네가 무공은 우리 구검 중에서 제일 강하니 이런저런 잡다한 경험들을 쌓기만 하면 된다."

어린 사제가 너무 풀죽은 모습이 안쓰러웠을까.

형산뇌검은 그렇게 소리 낮춰 말하며 황은탁의 기를 북돋아 주었다.

'호오, 구검 중에서 가장 강하다?'

담우천의 눈빛이 반짝였다.

형산뇌검과 황은탁은 아주 낮은 목소리로 소곤거렸지만 그걸 듣지 못한 담우천이 아니었다. 본의 아니게 그들의 대화를 엿듣게 된 담우천은 잠시 생각하다가 입을 열었다.

"거래를 하고 싶소."

일순 형산뇌검과 황은탁이 움찔 놀라며 담우천을 돌아보았다. 때마침 문이 열리고 나찰염요가 돌아왔다. 그녀의 손에 들린 쟁반에는 술과 술잔, 그리고 몇 가지 안주가 놓여 있었다.

"당신도 이리 와요."

나찰염요가 부드럽게 웃으며 말했다.

"그럴까, 그럼?"

담우천은 천천히 자리에서 일어났다.

"헉."

순간 황은탁이 저도 모르게 신음을 내뱉었다.

담우천이 일어서는 순간, 태악(泰嶽)이 몸을 일으키는

듯한 압도적인 기세가 뿜어져 나왔기 때문이었다.

반면 형산뇌검은 그 기세를 느끼지 못한 듯 신음을 흘린 황은탁의 옆구리를 툭 치며 말했다.

"자중해라."

황은탁은 황급히 고개를 숙였다. 그의 이마에서 식은땀 한 방울이 흘러내렸다.

'고수다. 그것도 무시무시할 정도로 강한…….'

그는 내심 그렇게 중얼거렸다.

앉아 있을 때만 하더라도 전혀 눈치채지 못했다. 아니, 대청에서 처음 보았을 때도, 이 층 창밖에서 염탐할 때도 전혀 알지 못했다.

하지만 지금은 달랐다.

담우천은 마치 내가 얼마나 강한지 한번 느껴 봐라, 하는 식으로 황은탁을 향해 거침없이 기세를 뿜어냈다.

그것도 형산뇌검은 전혀 알아차릴 수 없을 정도로 교묘하고 은밀하게, 오로지 황은탁에게로만.

'이자, 어쩌면 사부보다도 더 강할지 몰라.'

그렇게 속으로 중얼거리는 황은탁의 이마에 땀이 송골송골 맺혔다.

5장.

악양입성(岳陽入城)

"요컨대 제도의 문제가 아니라 사람의 문제라는 거네요.
얼마나 제대로 된 사람이 최종 결정권자가 되느냐 하는 게 홀로 결정하느냐,
다수결을 따르느냐보다 더 중요할 수도 있다는 뜻이군요."

1. 배알도 없는 녀석

수적으로 위장했던 사왕천 무리가 물러난 이후 객선은 거침없이 장강의 굽이진 물길을 따라 순항했다.

며칠 후 객선은 남쪽으로는 동정호를 향해 갈라지고, 동북쪽으로는 무한(武漢)으로 향하는 장강 본류로 향하는 세 갈래 물길에 이르렀다.

"한 시진 후면 악주(岳州) 악양구(岳陽口)에 당도합니다! 동정호나 장사, 형산으로 가실 분은 이곳에서 하선하셔야 합니다! 이 객선은 무한, 무창(武昌)과 한양(漢陽)을 지나 남경(南京)까지 가는 객선입니다!"

선부들이 갑판과 선실을 돌아다니며 연신 고함을 질렀다.

이렇게 선부들이 계속 돌아다니며 몇 번이고 신신당부하지만 그래도 하선할 곳을 놓치고 발을 동동 구르거나 선부, 선장에게 따지는 선객들이 종종 있었다.

"거참, 슬슬 뱃멀미에 적응되려니까 내릴 때가 되는군그래."

차탁에 앉아서 식은 차를 마시던 유 노대가 투덜거렸다.

아닌 게 아니라 그의 혈색은 원래대로 돌아왔고 눈빛은 맑았으며 목소리도 정정했다. 언제 뱃멀미 때문에 고생했느냐는 모습이었다.

"참 이상합니다."

하선한 준비를 하며 짐을 꾸리고 있던 화군악이 문득 유 노대를 돌아보며 고개를 갸웃거렸다.

"어떻게 무공의 고수가 멀미를 할 수 있죠? 설마 경공술을 펼칠 때도 멀미를 하십니까?"

"헛소리."

유 노대는 코웃음을 치며 말했다.

"배라고는 그저 하천을 건널 때나 나룻배를 타 봤지, 이런 큰 배는 평생 처음 타 봤다. 내가 멀미를 할 줄은 나도 미처 몰랐네."

"앞으로는 멀미 같은 거 하지 않으실 겁니다. 저도 그랬으니까요."

장예추가 웃으며 말했다. 화군악이 눈을 휘둥그레 뜨며 물었다.

"예추 너도? 처음 배를 탔을 때 멀미를 했어?"

"그래. 물론 유 사부처럼 심하지는 않았지만 꽤 힘들었거든. 하지만 그 후로는 멀쩡하게 되더라. 내성이 생긴 것인지, 아니면 나름대로 훈련이 된 건지는 모르겠지만 말이야."

"흠. 미처 몰랐어, 나는."

화군악이 진지한 얼굴로 말했다.

"무림의 고수라면 능히 멀미 같은 거, 취기처럼 내공으로 없앨 수 있다고 생각했거든. 고뿔 같은 병에 걸리지도 않는 것처럼 말이야."

"바보 같은 소리."

유 노대가 타박했다.

"그렇다면 무공의 고수는 누구나 다들 무병장수해야겠구나. 하지만 병이나 괴질(怪疾)에 걸려 죽거나, 제때 치료하지 못해서 덧난 상처 부위가 썩어 들어가서 죽거나 심지어는 대풍창(大風瘡)이나 천포창(天疱瘡)에 걸려 죽기도 하지. 그러니 무공 고수라고 해서 병에 걸리지 않는다는 건 있을 수 없는 일이다."

유 노대는 그렇게 잘라 말했다.

대풍창은 천형병(天刑病), 곧 문둥병을 가리켰으며 천

포창 혹은 양매창(楊梅瘡)이라 불리는 병은 다시 말해서 매독(梅毒)을 뜻했다.

대풍창이나 천포창 모두 한 번 걸리면 온몸이 썩어 문드러지다가 결국 목숨을 잃게 되는 불치병이었다.

화군악은 고개를 갸웃거리며 말했다.

"몰랐네요. 나는 무공을 익힌 후로 잔병치레는 한 번도 하지 않아서 불사(不死)는 아니더라도 무병장수는 할 줄 알았거든요."

그렇게 중얼거리던 그는 문득 짜증을 내며 투덜거렸다.

"칫, 그러면 무공을 익혀 봤자 별 소용이 없는 거잖아?"

유 노대가 어이없어했다.

"허어. 너는 무병장수하려고 무공을 익혔더냐?"

"그게 전부는 아니더라도 무공을 익힌 세 가지 이유 중의 하나거든요."

"세 가지 이유? 그럼 다른 두 가지는?"

"하나는 당시 나를 못살게 굴던 녀석들을 혼내 주기 위해서였죠. 그리고 나머지 하나는……."

화군악은 불현듯 얼굴을 붉히며 얼버무렸다.

"모르셔도 돼요. 별거 아니니까."

화군악이 그리 말하자 유 노대는 더욱 궁금해져서 꼬치꼬치 캐물었다.

"별거 아니니까 말해 줘도 되지 않을까 싶은데. 흠, 언제부터 군악 네가 부끄럼을 탔다고 얼굴까지 벌겋게 물들이고 그래? 흠, 아무래도 수상한데? 별거 맞지? 도대체 뭔데?"

"아니, 아무것도 아니라니까요."

화군악이 계속해서 난감해하며 대답하지 않자 장예추가 웃으며 입을 열었다.

"제 사부를 각시로 삼겠다는 생각이라도 했나 봅니다."

유 노대의 눈이 휘둥그레졌다.

"응? 야래향을? 허어, 그게 말이나 되는 이야기……응? 진짜야? 허어. 진짜인가 보네, 그 표정을 보니."

그렇게 놀라 말하던 유 노대는 이내 고개를 갸웃거리며 중얼거렸다.

"응? 이건 언젠가 들은 이야기 같은데? 늙어서 그런가, 전혀 기억이 나지 않네."

장예추가 다시 웃으며 말했다.

"왜, 월영동부에서 보물을 찾을 때 그런 대화를 잠시 나누지 않았습니까?"

"아! 그렇군. 맞아, 그때도 지금처럼 놀랐었지? 허어. 그때는 농담이라고 생각했는데, 알고 보니 진심으로 야래향을 제 아내로 맞이하려 했던 게로구나."

유 노대는 제 무릎을 치면서 껄껄껄 웃으며 말했다. 화군악은 장예추를 노려보다가 머리를 긁적이며 웃었다.

“뭐, 아무것도 모르는 꼬마의 발칙한 망상이었던 거죠. 이렇게 강한 여자를 마누라로 삼으면 세상 두려운 것 없겠다, 하고 생각했거든요.”

“허허. 그래도 어지간한 아이들은 아예 그런 망상조차 할 엄두도 내지 못하는데…… 역시 네 녀석은 어렸을 때부터 걸물(傑物)이었다니까. 아 참! 걸물 운운하니까 생각난 건데…….”

유쾌하게 웃으며 말하던 유 노대가 문득 진중한 표정을 지으며 화제를 돌렸다.

“그 형문파의 아이 말이다. 어떻게 생각하느냐?”

“어떻게 생각하기는요.”

화군악은 어깨를 으쓱거리며 말했다.

“천하의 거짓말쟁이이지만 거짓말을 진실처럼 말하는 능력이 있고, 사기꾼치고는 제법 무공도 강하고, 돈도 있는 것 같고…… 대충 그 정도잖아요?”

“응? 그를 너무 과소평가하는 거 아냐?”

장예추가 진지한 얼굴로 말했다.

“거짓말이든 진실이든, 어쨌든 그는 오로지 세 치의 혀만 놀려서 그 자리에 있던 백여 명의 적을 물리쳤어. 하마터면 수십 명이 죽고 다쳐야 끝나게 될 뻔했던 상황을 간단하게 정리했지. 그 당당하고 자신감 넘치는 행동은 일개 사기꾼의 그것과는 전혀 다르다고 생각해."

"흠."

유 노대가 고개를 끄덕이는 가운데 장예추의 말은 계속해서 이어졌다.

"그리고 이후 보여 줬던 행동들, 가령 선부들에게 은자 백 냥씩 돌려서 자신의 편으로 만드는 행동 같은 건 아무리 돈이 많다 하더라도 쉽게 생각할 수 없는 일이라고."

화군악이 볼멘 투로 말했다.

"나도 얼마든지 백 냥씩 뿌릴 수가 있다고. 그런 상황이 아니어서 그런 거지."

"바로 그거야."

장예추가 크게 고개를 끄덕이며 말했다.

"군악 너는 결코 평범한 사람이 아니잖아? 나는 네가 어쩌면 훗날 천하 십대 고수나 혹은 무림 최고의 걸물이 될 수 있는 인물이라고 생각하는데."

"당연하지."

화군악이 턱을 내밀고 어깨를 으쓱거렸다. 장예추가 계속해서 말했다.

"저 장백두도 너와 비슷하거든. 방금 전에 네 입으로 '나도'라고 말한 건, 너 역시 장백두가 너와 비슷한 부류의 사람이라는 걸 무의식적으로 인정하고 있기 때문이라고 생각해. 그렇지 않아?"

"그렇지 않거든."

"그래? 그렇겠지. 사실 장백두라는 사내, 생각보다 훨씬 더 거물이 될 수도 있으니까."

"잠깐만, 그 생각보다라는 게 나보다 더 거물이 될지도 모른다는 의미야?"

"뭐, 그야 네가 어떻게 해석하느냐의 차이이겠지. 어쨌든 나는 장백두 같은 사람은 적으로 돌리는 것보다 친구가 되는 쪽이 훨씬 더 현명한 일이라고 생각하고 있어."

"말도 안 돼. 왜 그딴 녀석하고 친구가 되어야 하는데?"

화군악은 장예추의 생각이 마음에 들지 않는다는 듯이 눈살을 찌푸리며 말했다.

"그런 녀석과 친구가 되지 않아도 우리는 충분히 강해."

"물론 우리는 강하지. 하지만 우리의 적도 엄청나게 강하잖아? 이런 상황에서 굳이 장백두 같은 또 다른 적을 만들 필요가 없다는 거야."

"그래. 굳이 장백두를 적으로 돌릴 이유는 당연히 없어. 하지만 또 굳이 장백두를 아군으로 끌어들일 필요도 당연히 없다는 게 내 결론이라고."

"허험. 뭐 그 정도면 두 사람 모두 장백두를 어떻게 생각하고 있는지 대충 알 것 같구나."

대화가 격론(激論)으로 치달으려 하자, 유 노대가 헛기침을 하면서 중재하듯 끼어들었다.

"어쨌든 두 사람 다 장백두라는 아이를 적으로 만들 필요는 없다고 생각하고 있으니까. 지금 상황에서는 그 정도 결론이면 충분할 것 같구나."

말을 마친 유 노대는 슬쩍 화군악을 바라보면서 농을 던지듯 물었다.

"그나저나 군악 네 녀석은 왜 그렇게 장백두를 깎아내리지 못해서 안달인 게냐? 설마 장백두 옆에 있던 여인 때문이더냐?"

화군악은 저도 모르게 쿨럭거리며 부인했다.

"아뇨. 제가 왜 운혜 때문에 그를 깎아내리겠어요?"

"운혜?"

일순 유 노대의 눈빛이 반짝였다.

"오호! 그렇게 친근하게 부를 만한 사이였나 보구나?"

화군악은 이내 자신의 실수를 깨닫고 입을 다물었다. 그와 초운혜의 관계를 익히 잘 알고 있던 장예추가 씨익 웃으며 입을 열려고 했다.

하지만 화군악이 먼저였다.

"함부로 말하지 마."

화군악이 홱 고개를 돌려 노려보며 말하자, 장예추는 두 손을 내밀며 말했다.

"아무 말도 하지 않았거든?"

"말하려고 했잖아, 지금."

"아니라니까."

장예추가 시치미를 떼고 딱 잡아떼자 화군악은 그를 노려본 다음, 다시 유 노대에게로 시선을 돌리며 조금 가라앉은 목소리로 말했다.

"굳이 좋은 이야기도 아닙니다. 들어 봤자 기분만 나빠질 겁니다."

화군악이 정색하고 그렇게 말하자 유 노대도 웃음기 뺀 목소리로 물었다.

"그렇다면 초 소저와는 그리 결말이 좋지 않은 관계가 있었다, 이건가?"

"네. 그 정도만 아셔도 됩니다."

"그래. 그 정도만 알면 나중에 대처하기 편하지. 그리고 왜 네가 그리 원숭이 닮은 분장을 했는지도 알았고."

그렇게 말한 유 노대는 문득 한숨을 쉬며 중얼거렸다.

"알고 보니 한 녀석은 금해가의 초 소저와 관련이 있고, 한 녀석은 태극천맹의 당주와 관련이 있고……. 나이도 어린 것들이 도대체 어떤 삶을 살아왔기에 그리도 복잡다단한 인맥을 지닌 게냐?"

화군악과 장예추는 저도 모르게 서로의 얼굴을 돌아보았다. 화군악이 웃으며 말했다.

“그런 삶을 살아왔기에 또 이렇게 유 사부와 인연이 닿은 게 아닌가 싶은데요.”

“허허. 말은 참 잘한다니까.”

유 노대가 흡족하다는 듯이 웃을 때였다.

문밖에서 인기척이 느껴졌다. 그리고 황룡의 목소리가 그 뒤를 이어 들려왔다.

“장 공자께서 여러분을 초대하시겠다고 하오.”

선실 안에 있던 세 사람은 서로를 돌아보았다. 화군악이 인상을 찌푸리며 말했다.

“하선할 준비를 하느라 시간이 없소.”

“잠깐이면 된다고 하오.”

“정 그렇다면 직접 이곳으로 찾아오라고 하시오.”

황룡의 대답이 없자, 화군악이 웃으며 말했다.

“하하하. 물론 대접할 건 식어 버린 차밖에 없기는 하지만 말이오.”

황룡이 잠시 고민한 듯 뒤늦게 그의 대답이 들려왔다.

“그리 전하겠소이다.”

기척이 멀어지는 걸 확인한 후 화군악이 투덜대듯 말했다.

“어디서 오라 가라 하는 거야? 한 번 친절하게 응대해 주니까 아예 머리 꼭대기까지 기어오르려고 하고 있네.”

“그러다가 진짜 찾아오면 어떻게 하려고?”

장예추의 물음에 화군악은 당연하다는 듯이 대꾸했다.

"어떡하기는. 식어 버린 차를 대접하면 되는 거지."

장예추는 쓴웃음을 흘렸다.

약간의 시간이 흘렀다. 선실 밖에서 유쾌한 목소리가 들려왔다.

"하하하! 나 장백두가 실례를 무릅쓰고 찾아왔소이다."

장예추는 화군악을 노려보았고, 화군악은 어깨를 으쓱거렸다. 그리고 입을 삐죽이며 투덜거렸다.

"정말 배알도 없는 녀석이네. 오라고 한다고 진짜 오다니 말이야."

2. 그릇의 크기

"이번 악양구에서 하선한다고 들었소이다."

"그렇소만."

"따로 묵을 곳을 정하셨소?"

"악양부는 초행길이라 아무것도 모르오. 이곳저곳 구경하면서 슬슬 찾을 생각이오."

"하하하! 그러실 줄 알았소. 그래서 일부러 여러분들을 찾아온 것이오. 어떻소, 악양부에 머무는 동안 우리와 함께 행동하는 것이."

장백두는 뜻밖의 제안을 해 왔다. 퉁명하게 대꾸하던 화군악조차 살짝 놀랄 정도로 의외의 제안이었다.

그래서였을까. 능수능란하게 대꾸하던 화군악이 말을 더듬거렸다.

"아, 아니…… 굳이 그럴 필요는 없을 것 같소. 시골 촌부들인 우리가 귀하들처럼 명문가 사람들과 어울리다가는 금방 체할 것이오."

"하하, 너무 겸양하지 마시오. 어느 마을 촌부들이 여러분처럼 무시무시한 기세를 흘리겠소?"

껄껄 웃던 장백두는 문득 정색하며 말했다.

"사실 나는 생각보다 훨씬 욕심이 많은 놈이오. 나는 보다 많은 친구들을 사귀고 싶고, 보다 많은 인연을 만들고 싶소. 물론 그렇다고 해서 아무나 사귈 생각은 없소. 또 별 볼 일 없는 인연도 만들 여유도 내게는 없고. 내가 욕심이 많은 만큼 가리는 것도 많아서 말이오."

게서 말을 끝낸 장백두는 씨익 웃으며 세 사람을 둘러보았다. 화군악은 냉랭한 표정으로, 장예추는 차분한 얼굴로, 유 노대는 희미하게 미소를 지은 채 장백두의 시선을 마주 대했다.

화군악이 그를 정면으로 바라보면서 비아냥거리듯 말했다.

"그러니까 귀하는 천하의 대식가이면서도 편식쟁이라

는 말이구려."

"하하하! 맞소. 아주 정확하게 표현하셨소."

한참이나 껄껄껄 웃던 장백두는 다시 근엄한 표정을 지으며 입을 열었다.

"손 대형의 표현을 빌리자면 세 분은 확실히 일품의 요리라 할 수 있소이다. 아무리 내가 편식쟁이라고 하더라도 먹지 않을 수 없는 요리. 그게 바로 세 분이시오."

화군악은 저도 모르게 인상을 찌푸렸다. 일품이 어쩌고 저쩌고 해도 결국 요리에 비교되는 게 기분이 좋을 리가 없었던 게다.

'하지만 내가 먼저 그런 식으로 비유를 했으니…….'

화군악이 내심 혀를 차고 있는 동안에도 장백두의 말은 계속해서 이어졌다.

"아니, 그런 계산적인 걸 다 떠나서 나는 그저 여러분들과 교우를 갖고 싶을 뿐이오. 그러니 맛있고 고급스러운 요리, 화려하면서도 한적한 거처, 마음대로 행동할 수 있는 자유까지 보장해 드릴 터이니 나와 동행해 주시오."

들으면 들을수록 좋은 제안이었다. 만약 화군악이 초운혜와, 장예추가 황룡과 악연이 없었다면 외려 이쪽에서 부탁하고 싶을 정도의 제안이었다.

가만히 듣고 있던 장예추가 불쑥 물었다.

"왜 그렇게까지 우리와 교우를 갖고 싶어 하시오?"

"당연한 것 아니겠소?"

장백두는 활짝 웃으며 말했다.

"귀하들과 적이 되는 것보다는 동료가 되는 게 훨씬 이득이기 때문이오."

일순 장예추는 움찔했다. 유 노대와 화군악도 장예추를 돌아보았다. 지금 장백두는 조금 전 장예추가 했던 말을 엿듣기라도 한 듯 그대로 따라서 이야기하고 있었다.

"아예 귀하들의 존재를 몰랐다면 모르되 이렇게 알게 된 이상에는 반드시 친구가 되고 싶소. 그러니 내 제안을 너무 무례하다고 생각하지 마시고 받아들였으면 하오."

장백두는 진심을 담아 이야기했다. 하지만 그 진심은 통하지 않았다.

"미안하오."

화군악은 고개를 저으며 말했다.

"우리는 우리의 갈 길이 있고, 장 공자는 장 공자의 갈 길이 있는 것 같소. 언젠가 그 길이 하나로 이어질지는 모르겠지만 지금은 그때가 아닌 듯하오."

화군악은 똑바로 장백두를 바라보면서 냉정하고 침착한 표정을 유지한 채 말을 이어 나갔다.

"서로 각자의 길을 걷다가 훗날 다시 만나게 되면 그때는 오늘의 인연을 떠올려 서로 웃으며 인사를 나누는 관계가 되었으면 좋겠소. 그 정도면 만족할 수 있지 않겠소?"

"흠."

장백두는 살짝 언짢은 표정을 지었다. 자신의 간곡한 부탁에도 불구하고, 이렇게 자신의 제의가 냉정하게 거절당하는 경우는 지금껏 단 한 번도 없었던 것이다.

"하하하, 이것 참."

하지만 그는 곧 유쾌하게 웃으며 머리를 긁적였다.

"아직 많이 부족한가 보오. 귀하들을 품기에는 내 그릇의 크기가 작은 것 같구려."

그는 힘차게 고개를 끄덕이며 말했다.

"알겠소. 더 노력하고 정진하겠소. 그리하여 우리가 다시 만나게 될 때는 반드시 귀하들이 스스로 내 품에 들어올 수 있을 정도의 그릇을 만들어 놓겠소. 그때까지 보중들 하시구려."

그는 자리에서 일어나 포권의 예를 갖췄다. 유 노대와 화군악, 장예추도 따라 일어나 예를 표했다. 장백두는 뒤도 돌아보지 않고 선실을 나섰다.

선실 문 앞에서 기다리고 있던 황룡이 나지막한 소리로 물었다.

"어찌되셨습니까?"

"잘 안 됐소."

장백두는 껄껄 웃으며 말했다.

"아주 경계가 심한 것이, 마치 사냥꾼을 대하는 사슴처럼 보이더구려."

그들은 복도를 따라 제 선실로 돌아가며 대화를 나눴다.

"그럼 그대로 보내실 작정이십니까?"

황룡의 질문에 장백두는 살짝 고개를 갸우뚱거리고는 다시 유쾌한 표정을 지으며 대답했다.

"그냥 보내기에는 섭섭하지 않겠소? 저렇게 티가 나는 변장을 한 채로, 무시무시한 투기까지 흘리는 정체불명의 무인들인데 황 당주는 그 정체가 궁금하지 않소?"

"뭐, 강호 무림에 그런 자들이 어디 한둘이겠습니까?"

"하하하. 역시 경험이 많으시구려. 하지만 나는 이번에 저런 자들을 처음 만나 보았소. 그러니 당연히 궁금해 미치겠구려. 저들이 누구인지, 왜 변장을 하고 다니는지 알고 싶어서 말이오."

"그럼 따로 사람들에게 시켜 저들을 미행할 생각이십니까?"

"바로 그렇소. 우리야 이미 저들에게 얼굴이 다 알려졌으니, 그들이 전혀 알지 못하는 사람들로 미행조를 꾸려야겠소. 가만있자, 악양부에 누가 있더라?"

장백두는 즐겁다는 듯이 미소를 지으며 제 선실로 들어섰다. 초운혜가 턱을 괸 채 선실 창밖을 내다보고 있었다. 장백두는 이내 표정을 바꾸며 찬탄하듯 말했다.

"아아! 정말 당신은 보면 볼수록 아름답구려! 선실에

들어서는 순간 너무 눈이 부셔서 하마터면 눈이 멀 뻔했소이다."

"대단한 놈이네."

선실 밖에서 장백두와 황룡의 기척이 사라진 후, 화군악이 어처구니없다는 표정을 지으며 투덜거렸다.

"이거는 아예 뱁새가 황새를 잡아먹으려고 하는 거지, 어디에서 감히 우리를 제 수하로 끌어들이려고 해?"

"정말 배포 하나는 천하제일 같더군."

장예추도 화군악의 말에 동의한다는 듯이 고개를 끄덕이며 말했다.

"게다가 눈썰미도 뛰어나고 상황 판단도 예리해. 형세를 보는 눈도 있고, 심지어 인재를 보면 내치지 않고 품으려 할 줄도 알아. 이건 정말이지……."

"쳇, 나도 그렇거든."

화군악이 팔짱을 끼며 말했다. 유 노대가 웃으며 그 말을 받았다.

"그래. 군악 네 녀석도 장백두라는 아이와 비슷한 면이 없지 않지. 확실히 저렇게 광오하고 오만하고 거만하며 허세 가득 찬 모습은 둘이 서로 빼닮았으니까."

"아휴, 농담이라도 그런 말씀 마십쇼. 어떻게 제가 저런 허무맹랑한 녀석과 빼닮았습니까?"

화군악이 눈을 치켜뜨며 투덜거릴 때였다.

선실 밖에서 호각 소리가 길게 울려 퍼졌다. 갑판 위에서 북소리도 들려왔다. 이제 곧 악양구의 나루에 당도한다는 신호였다.

"그럼 우리도 슬슬 나가 볼까?"

유 노대가 끄응, 하며 자리에서 일어났다. 화군악은 그 뒤를 따르며 여전히 쫑알거렸다.

"전혀 닮지 않았다니까요, 그 녀석이랑은. 어딜 봐도 제가 백배, 천배 낫죠. 안 그렇습니까, 유 사부? 아니, 웃지만 마시고 말씀을 좀 해 보시라니까요. 예추, 너도! 왜 피하는 건데? 웃지 말라니까, 두 사람 모두."

* * *

오랜 여정 끝에 객선은 악양구에 도착했다. 객선은 필요한 물자를 구입하고 배를 정비하고 선부들이 휴식을 취하는 이곳에서 등 하룻밤을 묵은 후 다시 무한을 향한 여정을 시작할 것이다.

반면 화군악 일행의 목적지는 이곳 악양이었다. 그들은 분장을 지우지 않은 채 배에서 내렸다.

행여 장백두 일행과 마주치면 껄끄러운 일이 발생할지 모른다는 생각에 그들은 하선하는 인파 속에 섞여서 악양구를 벗어났다.

악양구에서 대략 한 시진 정도 걷다 보면 악양부가 나오는데, 성문 입구는 방금 하선한 사람들과 기존에 악양부를 출입하는 이들로 장사진을 이루고 있었다.

화군악 일행은 긴 행렬 사이에 서서 줄이 줄어들기를 기다렸다.

"악양부라…… 정말 사연 많은 곳이지."

문득 화군악이 혼잣말처럼 중얼거렸다. 새삼 악양부 성문을 보고 있자니, 과거 이곳에서 일으켰던 무수한 소란들이 주마등처럼 그의 뇌리를 스치고 지나갔던 것이다.

죽마고우라고 할 수 있었던 종리군과 함께 악양부의 금해가로 잠입, 초운혜와 사랑을 나눴던 기억.

종리군에게 배신당하고 죽을 뻔한 위기를 넘긴 후 무공을 잃은 채 떠돌아다녔던 기억.

사부 야래향과 빙혼마고를 지저갱에서 구출했던 기억.

그리고 다시 돌아와 종리군을 응징했던 기억들이 두서없이 섞인 채로 그의 머릿속을 마구 헤집고 돌아다녔다.

'그리고 보니 아군, 그 녀석은 어디에서 뭘 하고 있을까?'

화군악은 그날 이후, 단 한 번도 종리군이 죽었다고 생각한 적이 없었다.

연을 타고 도망치다가 화살 맞은 새처럼 추락하여 동정

호로 떨어진 후, 종리군은 생사가 묘연한 채로 거짓말처럼 사라졌다.

'내가 끝까지 버텨서 살아났던 것처럼, 녀석 또한 반드시 살아서 복수를 꿈꾸고 있을 테지. 그때의 나처럼 말이지.'

화군악은 피식 웃었다.

비록 종리군에게 배신당하기는 했지만 또 죽을 뻔한 위기도 있었지만, 그럼에도 불구하고 화군악은 종리군을 미워하거나 증오하지 않았다.

어렸을 적 생사를 같이했던 그 끈끈한 정(情) 때문인지, 아니면 애초에 미워할 수 없는 상대였는지는 모르겠지만 어쨌든 화군악은 종리군이야말로 자신의 진정한 호적수라고 생각하고 있었다.

'한 번 패하고, 한 번 이겼으니 지금까지 일대일 승부라고 할 수 있겠군.'

언제든 덤벼라, 종리군.

'이번에야말로 완벽하게 이길 테니까.'

화군악이 그런 생각을 하는 동안 어느새 줄은 줄어들어 있었고, 화군악을 비롯한 세 사람은 무사히 성문을 통과할 수가 있었다.

"그럼 이제 교룡회(蛟龍會)라는 곳을 찾아가면 되는 거죠?"

성내에 들어선 화군악은 머릿속 가득 찼던 상념을 지우며 유 노대에게 물었다.

유 노대는 주위를 둘러보며 중얼거렸다.

"그나저나 많이 바뀌었네, 악양부도. 어디가 어디인지 전혀 몰라보겠어."

유 노대만 믿고 악양부까지 오게 된 화군악과 장예추는 누가 먼저라고 할 것 없이 동시에 인상을 찌푸렸다.

3. 교룡회(蛟龍會)

교룡회는 호광성 내에만 여섯 개의 지부를 두고 있는 거대 조직이었다.

대륙 전역을 통틀어도 그들만 한 세력과 규모를 지닌 하오문은, 황계나 흑개방 같은 특수한 조직을 제외하고는 전무하다시피 했다.

교룡회라는 곳이 돈 되는 일이라면 모든 걸 하는 집단이기는 하지만, 그중에서도 그들의 주력 업종은 고리대금업이었다.

저 허 노야가 신분을 위장하기 위해 만든 금룡회 역시 고리대금업을 주종으로 했던 것처럼, 이 시대의 고리대금업은 상당한 이익을 가져다주는 업종이었다.

"그런데 고리대금업과 우리 물건을 파는 것과 무슨 상관이 있다고 교룡회를 찾는 겁니까?"

악양부 서쪽 외곽에 있는 객잔의 별채에 짐을 풀은 화군악 일행은 차를 마시며 잡담을 나누고 있었다.

"고리대금업이 주업이라고 했지, 그게 전부라는 말은 안 했던 것 같은데."

화군악의 질문을 받은 유 노대는 가볍게 미소를 지으며 말했다.

"그 녀석들은 돈 되는 건 다 하는 작자들이야. 고리대금업은 물론 장물, 사람 장사 할 것 없이 닥치는 대로 하는 무시무시한 놈들이지."

"금해가가 바로 코앞에 있는데도 그런 짓을 합니까?"

장예추가 이해가 가지 않는다는 듯이 고개를 갸우뚱거리며 물었다.

"그게 세상인 게지."

유 노대는 혀를 쯧쯧 차면서 대답했다.

"한때 교룡회에서 벌어들이는 수익금 중 절반 이상이 상납금으로 바쳐진다는 소문이 돈 적이 있단다. 금해가는 물론이고, 악양부의 관아, 심지어 태극천맹 본산에까지 상당한 액수의 후원금을 보내니 다들 알면서도 눈감아 주는 게지."

"참 더러운 세상이라니까요, 알면 알수록."

화군악이 침을 뱉을 듯한 표정을 지으며 말했다.

"그래도 어렸을 적에는 관아의 포두나 포쾌들이 정의의 편이라고 생각했었거든요. 또 정파의 사람들이라면 당연히 불의를 참지 못하고 약한 사람들을 도우며 정정당당할 거라고도 믿었어요."

"그래, 어렸을 적에는 누구나 다들 그리 생각하지."

"하지만 나이가 들면서 세상 돌아가는 꼴을 보니 영 그게 아니더라고요. 돈 앞에 장사 없고, 계집 앞에 학사(學士) 없더라니까요. 심지어 저 무당파 도사들도 어떻게든 계집들과 놀아나려고 온갖 짓을 다할 정도니까요."

장예추는 묵묵히 화군악의 말을 듣고 있었다.

그 역시 관아의 사람들은 공명정대하고 정의로우며 약자를 보호하고 악한 자를 처벌한다고 생각한 적이 있었다. 그래서 부모를 죽인 자들을 고발하기 위해 직접 관아까지 찾아간 적도 있었다.

하지만 관아의 포두는 외려 그를 팔아넘겼으며, 그로 인해 하마터면 관아의 뇌옥에서 목숨을 잃을 뻔한 적도 있었다.

"물론 그런 놈들만 있는 건 아니겠지. 좋은 녀석도 있고 올바른 자도 있고, 또 진짜 공명정대한 관원들도 있겠지. 하지만 요즘 들어서 너무 다들 돈, 돈 하니까 말이야. 이 나이 먹고 그런 젊은 녀석들을 보자니 왠지 서글퍼지는 건 어쩔 수 없군그래."

"하기야 우리도 돈이 필요해서 예까지 온 거니까요. 누구 말마따나 돈이 전부는 아니지만, 그래도 돈만 한 게 없기는 하죠. 어쨌든 돈이 있으면 괄시받지 않고 외려 세상 호령하며 살 수 있으니까요."

그렇게 자조적으로 말하던 화군악은 이내 고개를 휘휘 저으면서 화제를 돌렸다.

"그런데 유 사부는 어떻게 그 교룡회 사람들과 교분을 나누게 되었어요? 그래도 명색이 내로라하는 명문 거대 정파의 노기인이신 분이."

"허허, 그것도 역시 돈 때문이지."

유 노대는 머쓱한 표정을 지으며 말했다.

"참마붕방이 아무리 허술하고 대충 만든 조직이라고는 해도, 그래도 한 조직을 운영하다 보면 필연적으로 들어가는 비용이 생기기 마련일세. 그것도 제법 큰 액수의 비용이 말이지."

"역시 여기도 돈이네요, 결국."

"허허허, 사람 사는 곳이 다 그렇지 않을까? 어쨌든 당시 다들 은퇴하거나 세상일에서 벗어나 유유자적 홀로 살아가던 늙은이들이 어디 그런 돈이 있겠나? 그래서 다들 지니고 있던 패물이나 고서화(古書畵)들을 팔아서 그 비용을 충당하려 했지. 그리고 그 책임자가……."

"유 사부이셨고요."

"그렇지. 내가 당시만 하더라도 발도 넓고, 인맥도 많은 편이었거든. 교룡회의 회주들과도 안면이 있었고."

"회주들이요?"

"그래. 교룡회에는 다섯 명의 회주가 있거든. 어떤 안건이든 그들 다섯 명이 표결해서 과반수가 되면 통과하는 거고, 그렇지 못하면 폐기되는 게야."

"호오, 혼자 독단적으로 결정하지 못한다. 그건 꼭 우리 무림오적 같네요. 마침 다섯 명이기도 하고."

"뭐 장단점이 있는 방법이기는 하지. 한 사람의 뛰어난 인재가 고민하다가 결정하는 것과 다섯 명의 범재가 머리를 맞대고 궁리할 때 외려 전자의 경우 더 좋은 결과가 나올 수도 있고, 반대로 포악한 결정권자가 아무렇게나 결정하는 것보다는 다섯 명의 뛰어난 인재가 협의하여 결정하는 게 훨씬 더 좋은 결과를 낼 수도 있으니까."

"요컨대 제도의 문제가 아니라 사람의 문제라는 거네요. 얼마나 제대로 된 사람이 최종 결정권자가 되느냐 하는 게 홀로 결정하느냐, 다수결을 따르느냐보다 더 중요할 수도 있다는 뜻이군요."

"허허. 애당초 그런 제도 자체도 사람들이 만든 거니까…… 결국 가장 중요한 건 사람이겠지."

"흠. 그럼 우리는 제대로 된 사람 같아 보이십니까?"

묵묵히 듣고 있던 장예추가 불쑥 질문을 던지자, 유 노대는 짐짓 심각한 표정을 짓는 척하며 대답했다.

"글쎄. 그건 조금 더 겪어 봐야 알겠지."

"하하하. 그건 더 겪어 보지 않아도 아는 문제 아닐까요?"

화군악이 쾌활하게 웃으며 말했다.

"무엇보다 유 사부께서 우리와 함께하는 것, 그리고 사부의 동료나 지인들을 우리에게 소개시켜 주는 것만으로도 충분히 우리가 제대로 된 사람이라는 걸 보증하는 일이 아니겠습니까? 설마 유 사부께서 그렇게 사람 보는 안목이 형편없지는 않으실 테니까요."

유 노대는 음흉하게 눈웃음을 치는 화군악을 바라보며 고개를 설레설레 흔들었다.

"평생 실수 한 번 하지 않았지만…… 아무래도 말년에 눈이 어두워져서 그런지, 이번에야말로 사람을 잘못 본 모양이로구나."

유 노대의 넋두리에 화군악은 유쾌하게 웃었고, 장예추도 기분 좋은 미소를 지었다. 유 노대도 미소를 머금으며 말을 이었다.

"자, 그럼 짐도 다 풀었고 하니까 슬슬 오룡두(五龍頭)를 만나러 가 볼까? 아, 그나저나 네 녀석들은 그 보기 흉한 분장, 언제까지 지우지 않을 게냐?"

화군악과 장예추는 쓴웃음을 흘리며 동시에 말했다.

"악양을 떠나기 전까지지요."

＊ ＊ ＊

교룡회의 다섯 회주를 가리켜 오룡두라 불렀다.

비록 오룡두가 동등한 권력에 동등한 결정권을 지니고 있다고는 하지만, 그래도 회의를 주관하고 진행하는 이가 조금 더 많은 권력을 쥐고 있다고 하는 게 타당할 것이다.

그렇게 회의를 주관하는 회주를 따로 일컬어 태두(太頭)라 했으며, 나머지 네 명의 회주는 각각 천지현황(天地玄黃)의 네 글자를 따서 천두(天頭), 지두(地頭), 현두(玄頭), 황두(黃頭)라 불렀다.

그들 오룡두는 악양 각지에 흩어져 살고 있으며 그들의 거처는 수십 명의 뛰어난 호위 무사들로 철저하게 보호받고 있었다.

특히 태두가 사는 곳이자, 교룡회의 본산이라 할 수 있는 삼 층 전각은 백여 명이 넘는 인원들이 언제든지 목숨을 바치겠다는 각오로 철통같은 경계망을 갖췄다.

교룡회의 삼 층 전각은 언제나 많은 사람으로 북적거렸다. 돈을 구하러 온 사람, 빚을 갚으러 온 사람, 물건을 팔기 위해 찾아온 사람 등등 교룡회의 문을 여는 새벽부터 문을 닫는 저녁 무렵까지 늘 장사진을 이루고 있었다.

"허어, 이곳은 십 년 전이나 지금이나 전혀 변한 게 없구나."

유 노대는 감회가 새롭다는 표정을 지으며 교룡회 주위를 둘러보았다.

전각 일 층 입구에는 이곳을 찾아온 목적에 따라 구분된, 다섯 줄의 사람들이 일렬로 길게 늘어서 있었다. 그리고 한쪽 쪽문 앞에는 두 명의 병장기를 휴대한 무사가 서슬 퍼런 시선으로 사위를 경계하고 있었다.

잠시 교룡회를 둘러보던 유 노대는 거침없이 그쪽 문을 향해 걸음을 옮겼다. 화군악과 장예추는 말없이 그 뒤를 따랐다.

"무슨 일이오?"

"용건이 있다면 그 용무에 맡게 저쪽으로 가서 줄을 서시오."

두 명의 무사는 쪽문으로 다가오는 유 노대를 보며 냉랭하게 말했다. 그러자 유 노대는 사람 좋게 웃으며 물었다.

"오(吳) 노야(老爺)는 잘 계시오?"

일순 두 명의 무사가 움찔거리며 서로를 돌아보았다. 유 노대는 여전히 입가에 미소를 띤 채 말을 이었다.

"오 노야에게 유 노대가 찾아왔다고 하면 잘 알 것이오. 가서 그리 전해 주시오."

무사들은 서로를 돌아보다가 갑자기 화를 버럭 내며 소리쳤다.

"본 교룡회에는 오 노야라는 자가 없소! 그러니 썩 돌아가시오!"

"음?"

유 노대가 고개를 갸우뚱거리며 재차 물었다.

"오 노야가 없다니 그게 무슨 소리요? 나는 지금 교룡회의 우두머리인 오 노야를 말하는 것이오."

"허어, 이 영감 좀 보게. 오 노야라는 늙은이는 없다니까."

"뭔가 잘못 알고 찾아온 모양인데 본 회의 회주는 구(邱) 대인(大人)이라는 분이시오. 그러니 썩 꺼지시오."

무사들은 눈을 부라리며 말했다.

하지만 유 노대는 물러나지 않았다. 그는 다시 한번 고개를 갸우뚱거리며 물었다.

"구 대인이라니? 내가 아는 오룡두 중에 구씨 성을 가진 사람은 없는데 말이오."

"허어, 진짜 경을 칠 늙은이일세! 아니, 몇 번을 말해야 알아듣겠나? 본 회에는 오 노야라는 사람이 없다니까!"

"그만하시죠, 유 사부."

장예추가 유 노대의 소매를 잡아 이끌었다. 유 노대는 머뭇거렸지만, 그의 손길을 뿌리치지 않고 돌아 나왔다. 그는 여전히 의아한 얼굴로 중얼거렸다.

"허어, 이상하군그래. 설령 오 노야가 차기 오룡두에게 권력을 넘기고 은퇴했다손 치더라도, 저렇게 아예 그런 사람이 없다면서 딱 잡아뗄 일은 아닌데 말이지."

"아무래도 뭔가 우리가 모르는 속사정이 있겠죠. 그러니까 조금 더 교룡회에 대해서 알아본 후 다시 계획을 세우는 게 낫겠습니다."

장예추의 말에 화군악이 코웃음을 치며 말했다.

"이 코딱지만 한 곳에 대해서 알아보기는 뭘 알아본다고. 그냥 쳐들어가서 한바탕 뒤집어 놓으면 되는데."

장예추가 차분하게 말했다.

"그러다가 또 금해가와 마주칠지도 몰라."

이내 화군악이 조용해졌다.

6장.

역성반정(易姓反正)

역성(易姓)은 반란을 일으켜 왕조(王朝)를 무너뜨리고 교체하여
새로운 나라를 건국하는 걸 의미했다.
그리고 반정(反正)은 왕조의 정통성은 유지하면서
왕위만 교체하는 걸 가리켰다.

1. 조 영감

세상 돌아가는 일을 알려면 주루(酒樓)로 가라는 말이 있다. 주루에는 술잔과 술잔을 통해서 온갖 소문이 떠돌며 퍼져 나간다.

그리고 세상 곳곳에서 벌어지는 일들을 노래로 만들어 부르는 이들도 있었고, 이야기로 만들어서 생계를 이어가는 이야기꾼도 있었다.

보다 세밀하고 확실하며 은밀한 정보를 알려면 황계나 흑개방을 찾아가면 된다. 돈만 있으면 어떤 정보든 충분히 알아낼 수 있는 곳이 바로 황계와 흑개방이었다.

마을이나 성시에서만 떠도는 소문이나 정보, 그리고 새

로운 이야기를 알기 위해서는 다관(茶館)을 찾으면 된다.

다관의 손님들은 차의 향기와 함께 이야기를 즐겼다. 살구나무집 아들이 고자라는 둥, 어젯밤 물레방앗간에서 홀아비와 처녀가 몰래 정을 통했다는 둥 온갖 소소한 정보와 소문들이 그 이야기 안에 가득 담겨 있었다.

그리고 다관에는 거간꾼이 있었다. 일과 사람을 이어 주기도 하고, 흥정을 붙이기도 싸움을 말리기도 하며 정보를 사고팔기도 하는 만능 중개인인 아호(牙戶)가 진을 치고서 손님을 유치하는 곳이 다관이었다.

교룡회에서 쫓겨나다시피 물러선 화군악 일행은 곧장 근방의 다관을 찾았다. 그곳에서 차를 마시며 교룡회에 대한 정보를 얻으려는 목적이었다.

하지만 화군악 일행이 만난 아호들은 활짝 반기는 얼굴로 그들을 맞이하다가도 교룡회 이야기만 나오면 하나같이 입을 다물었다. 아무래도 교룡회의 입김이나 세력이 그들의 입까지 막을 정도로 강한 모양이었다.

그렇게 오후 늦게까지 십여 곳의 다관을 둘러보던 화군악 일행은 마침내 오수다관(悟睡茶館)에서 한 늙은 아호를 만나게 되었다.

"편하게 조 영감이라고 불러 주시오."

검버섯 듬성듬성 핀, 초췌하고 피곤해 보이는 얼굴의

노인은 힘없이 웃으며 차를 권했다.

"그래, 뭘 원하시오? 일? 아니면 사람? 아니면……."

"이야기요."

원숭이 닮은 중년 사내로 변장한 화군악이 무뚝뚝하게 말했다. 조 영감이라 자칭한 늙은이가 고개를 갸웃거렸다.

"이야기라니?"

"교룡회의 오룡두에 대한 이야기요."

"아……."

조 영감은 그제야 알겠다는 듯이 누런 이를 드러내며 힘없이 웃었다.

"확실히 이곳 악양부 사람들은 교룡회에 관한 이야기는 잘 언급하지 않으니 이 늙은이 차례까지 온 모양이구려."

"정확하게 맞추셨소. 사실 이곳에 계신 분이 그 오룡두의 지인이나, 교룡회 문밖에서 거지 취급을 받으면서 매몰차게 쫓겨났소이다."

"흠, 수문위들이 나름대로 신경을 써 준 게로구려. 사실 오룡두의 지인이라면 불문곡직, 그 자리에서 목이 떨어져 나가도 이상하지 않은 일이니까."

"호오, 그럼 외려 그들이 목숨을 구해 준 격이 되는 것이오?"

"설령 죽이지는 않는다 하더라도, 조금 성격 나쁜 무사들이나 아니면 현 회주인 구 대인에게 아부하는 자들이었다면 당장 여러분들을 잡아다가 구 대인에게 바쳤을 것이오."

조 영감은 화군악과 장예추, 그리고 유 노대를 번갈아 바라보면서 말을 덧붙였다.

"뭐 그렇다고 그들에게 쉽게 당해 줄 사람들 같지는 않아 보이오만……."

'호오.'

화군악은 살짝 눈빛을 반짝였다. 초췌하고 남루한 늙은이지만 그래도 사람 보는 안목 하나는 괜찮은 것 같았다. 화군악은 단도직입적으로 말했다.

"그래, 얼마면 그 이야기를 들려주실 수 있겠소?"

조 영감은 주위를 둘러보았다.

점심때가 훌쩍 지나고 슬슬 저녁 식사 시간이 되었지만, 여전히 다관 이 층에는 적지 않은 이들이 차를 마시고 있었다.

"아무래도 주변 눈과 귀가 있으니, 그런 이야기는 밀실에서 하는 게 나을 것 같구려."

"그럽시다."

그들은 곧 다박사를 불러 자리를 옮겼다.

밀실은 아늑하고 조용했다. 밖에서 들려오는 소음도 상

당 부분 차단된 걸로 보아 안에서 나누는 대화 소리를 밖에서는 제대로 듣지 못할 것 같았다.

조 영감은 머쓱한 표정을 지으며 변명처럼 말했다.

"원래 이런 밀실에서 손님들을 맞이해야 하는데 요즘 벌이가 신통치 않아서……."

"대여비는 우리가 내겠소. 돈은 걱정하지 마시오."

화군악은 통 크게 백 냥짜리 은원보 하나를 꺼내 탁자에 올려 두었다.

조 영감의 눈이 커지고 손이 떨렸다. 그는 저도 모르게 탁자 위로 손을 뻗으려다가 황급히 거둬들이며 입을 열었다.

"이것 가지고는 부족하오."

조 영감은 화군악의 눈치를 살피며 말했다.

"사실 소소한 이야기라면 소소한 이야기라고도 할 수 있겠지만, 다른 아호들은 절대 말하지 않을 테니까. 그만큼 가격을 비싸게 받아야 할 것 같소이다."

'돈에 환장한 노인이군그래.'

화군악은 속으로 조금 전 후하게 쳤던 조 영감의 평가를 깎아내리면서 무뚝뚝하게 물었다.

"그럼 얼마를 원하시오?"

"삼, 삼백…… 아니, 사백 냥이면 되오. 그 돈이면 교룡회에서 무슨 일이 일어났는지 속속들이 말씀드리겠소."

화군악은 장예추와 유 노대를 돌아보았다. 장예추가 고개를 끄덕이고는 품에서 백 냥짜리 전표 세 장을 꺼내 건네며 물었다.

"그런데 조 영감은 교룡회의 후환이 두렵지 않습니까?"

"허허, 이 나이에 두려울 게 뭐가 있겠소?"

조 영감은 서둘러 은원보와 전표를 받아 챙기며 웃었다.

"다른 아호들이야 이곳 악양부 토박이들이니 교룡회의 눈치를 볼 수밖에 없겠지만 나처럼 외지인은 그리 신경 쓰지 않아도 된다오."

"아, 악양부 사람이 아니었습니까?"

"허허. 남창에서 이곳으로 온 지 몇 년 되지 않았다오. 한 이삼 년 되었나?"

그렇게 말하며 웃는 조 영감의 얼굴에는 씁쓸한 표정이 알게 모르게 내려앉고 있었다.

* * *

"흠, 일이 재미있게 되었네."

술을 한 잔 마신 화군악은 잘 익은 오리구이를 젓가락으로 찢으며 말했다. 유 노대는 묵묵히 제 술잔에 술을 따르고 있었고, 장예추는 뜨거운 고깃국에 말은 국수를 후후 불어 가며 먹는 중이었다.

“그러니까 칠 년 전, 오룡두 밑에 있던 당두(堂頭) 하나가 반란을 일으켜서 오룡두를 모두 죽이고 교룡회를 독차지했다 이거네. 그리고 오룡두라는 단어는 금지하고 대신 교룡두(蛟龍頭)라고 해서 교룡회의 유일무이한 지배자가 된 거라니. 이것 참, 역시 한 치 앞을 모르는 게 세상일이라니까.”

화군악은 조금 전까지 조 영감이라는 추레한 거간꾼을 통해 알아낸 정보들을 규합하여 정리하면서 잔뜩 흥분하여 말했다.

“이거야말로 유리가 객잔 별채에서 나눴던 이야기 같은 거 아닐까? 다수의 협의가 나을까, 아니면 영웅의 독재가 나을까, 하는.”

“영웅은 무슨 얼어 죽을 놈의 영웅?”

유 노대가 코웃음을 치며 말하고는 단숨에 술잔을 비웠다. 그는 다시 술을 따르며 평소와는 달리 거친 목소리로 말을 이었다.

“제 사부들을 해치고 은사를 죽여서 권력을 쟁취한 놈 따위가 어찌 감히 영웅이라는 소리를 들을 수 있으며, 또한 뭇 사람들의 인정을 받을 수 있다는 게냐?”

유 노대의 말에 장예추가 국수를 먹다가 말고 이견을 내놓았다.

"그렇게 따지자면 황제를 폐위하고 역성반정(易姓反正)을 성공한 모든 황제들은 영웅이 아니며, 뭇 사람들의 인정을 받을 수 없다는 뜻이 됩니다만."

유 노대의 얼굴이 살짝 일그러졌다.

역성(易姓)은 반란을 일으켜 왕조(王朝)를 무너뜨리고 교체하여 새로운 나라를 선국하는 걸 의미했다. 그리고 반정(反正)은 왕조의 정통성은 유지하면서 왕위만 교체하는 걸 가리켰다.

그렇게 치자면 전대의 오룡두를 살해하고 스스로 교룡두가 된 상황은 역성이 아닌, 반정에 가까운 일이었다.

"역성은 뭐고 반정은 뭔데? 책 좀 읽었다고 그렇게 말을 어렵게 하면 안 되지."

장예추의 말을 절반 정도 이해하지 못한 화군악이 투덜거리듯 말했다.

"그 구 대인이라는 자가 난 놈은 난 놈인 거야, 어쨌든 역모를 성공시키고 그 자리에 앉았으니까. 그리고 칠 년 동안 외려 교룡회를 두 배 이상 성장시켰다고 하니 능력 하나만큼은 충분히 인정해야지."

화군악은 힐끗 유 노대를 바라보며 말을 이었다.

"뭐, 그 바람에 우리가 조금 난처해진 것도 사실이기는 하지. 유 사부의 그 바다처럼 넓은 인맥이 소용없게 되었으니까."

"허어, 정말 뚫린 입이라고 아무렇게나 지껄이는구나."

유 노대는 인상을 찌푸렸다.

"농담이었어요, 유 사부."

장난이 아니라 진짜로 화가 난 그의 모습을 보고 화군악은 얼른 사과했다.

"사부께서 너무 힘이 없어 보이셔서 조금 힘내시라고 평소처럼 놀린 겁니다. 눈치 없게 굴었다면 죄송해요."

"흥."

유 노대는 코웃음을 치고는 다시 술을 연거푸 석 잔이나 들이켰다. 그제야 조금 화가 가라앉았는지 길게 한숨을 내쉬며 입을 열었다.

"오룡두 모두 친분이 있기는 했지만 그중에서도 오 노야와는 상당히 마음이 통하는 사이였지. 돈에 환장한 교룡회에서 그나마 인격과 품격을 갖췄던 인물이었네. 세상 사람들로부터 손가락질을 받지 않는 교룡회를 만들려는 꿈과 야망이 있던 인물이기도 했고."

화군악이 조심스레 말했다.

"존경받아 마땅한 분이셨네요."

"그렇지. 그런 인물을 사부로 모셔 놓고서 엉뚱한 욕망과 그릇된 야망만 키운 그 개자식이야말로 진짜 못된 놈이지. 무엇보다 스승을 배신하는 제자란 절대로 용서받을 수 없는 인간인 게야!"

유 노대는 거친 목소리로 잘라 말했다. 화군악과 장예추는 저도 모르게 서로를 돌아보았다.

서로를 바라보는 그들의 눈빛은 공통된 이야기를 하고 있었다.

'설마 제자에게 배신이라도 당한 걸까?'

2. 수정루(水晶樓)

"그랬겠지?"

"그랬을 거야. 아니면 가장 친한 지인들 중 누군가가 제자에게 배신을 당했을 수도 있겠고."

"흠, 그렇지 않고서야 지금까지 제자를 키우지 않은 게 말이 되지 않기는 하지."

"그 정도로만 생각하자. 괜히 호기심이 인다고 유 사부 아픈 곳을 콕콕 찌르지는 말자고."

"어라? 내가 그렇게까지 못된 놈으로 보여?"

"응."

"이런……."

"그건 그렇고, 그럼 앞으로의 계획에 대해서 이야기해 보자고. 우선 나는 이번 일에서 유 사부는 제외했으면 좋겠어."

"그건 왜?"

"아무래도 오룡두와 친분이 있었으니 그 교룡두라는 작자를 앞에 두고 냉정하고 이성적으로 협상에 응하지 못하실 것 같아서."

"응? 그럼 너는 교룡두와 협상하려고?"

"왜? 원래 그럴 목적으로 왔잖아?"

"하지만 교룡두 그 녀석은 제 사부인 오룡두를 죽인 놈이잖아?"

"그건 그거고, 이건 이거지. 우리가 굳이 오룡두의 복수를 할 것도 아니고 말이야."

"이야, 너 진짜 너무하다."

"응? 내가 너무하다고?"

"그래. 그렇게 언제나 냉정하고 이성적으로 생각할 수 있어서 좋겠다."

"그건 또 무슨 소리야?"

"아니, 유 사부는 설 형님의 사부인 동시에 우리 모두의 사부이잖아?"

"그렇지."

"그 사부의 친구가 제자의 배신으로 죽었어. 그럼 우리는 어떻게 해야 하지?"

"모르는 척하고 협상해야지."

"아니, 진짜……."

"그럼 사부를 대신해서 사부의 친구에 대한 복수를 해야 한다고 생각하는 거야? 그렇다면 세상 모든 일에 우리가 관여해야 될 텐데? 사부의 친구의 친구는? 그 친구의 자식에 대한 복수는? 사돈 팔촌에 대한 복수는?"

"아니, 꼭 그런 건 아니더라도 유 사부에 대한 생각은 해 줘야 한다는 거야. 그러니까……."

"그러니까?"

"그러니까 교룡회가 아니더라도 우리 물건을 사 줄 사람을 찾을 수는 있잖아? 굳이 교룡회와 협상을 할 이유가 없다는 거지, 내 말은."

"흠. 그건 일리가 있어. 그럼 우리 물건을 사 줄 사람을 어떻게 찾지?"

"그, 그건…… 조 영감에게 물어보자, 우선."

* * *

어젯밤 화군악이 다급하게 말했던 계획에 따라서 그와 장예추는 조 영감을 만나기 위해 다시 오수객잔을 찾았다. 유 노대는 어제 술이 과했는지 영 기분이 좋지 않다면서 객잔 별채에서 쉬고 있겠다고 했다.

"조 영감은?"

주문을 받으러 온 다박사가 화군악의 물음에 말했다.

"조 영감이요? 죄송합니다만 이 시간에는 다른 곳에 있을 겁니다."

"다른 곳? 다른 다관 말인가?"

"아뇨. 수정루(水晶樓)라고 해서, 기루에 있을 겁니다. 그곳의 조민(趙玟) 아가씨에게 푹 빠져 있거든요."

"기루? 조민?"

화군악이 눈을 휘둥그레 떴다. 다박사가 은근하게 눈짓을 주며 말했다.

"어제 손님들이 거액의 의뢰비를 주셨던 모양이더라고요. 손님들이 나가자마자 희희낙락해서 서둘러 수정루로 갔으니까요. 거기가 고관대작들만 출입하는 비싼 곳이라 은자 수백 냥은 있어야 겨우 하룻밤을 지낼 수 있거든요."

"호오."

화군악은 고개를 끄덕였다.

그제야 왜 사람 볼 줄 아는 안목도 있고 눈치도 빠르며 언변도 있는 조 영감이 왜 그렇게 추레하고 초췌한 몰골을 하고 있었는지 대충 알 것 같았다.

'버는 족족 거기에다가 바쳤던 게지, 뭐.'

화군악은 쓴웃음을 흘렸다.

'그 나이에도 여색에서 벗어나지 못하다니, 정말 나도 사내자식이기는 하지만 사내들이란 어쩔 수 없는 족속들

이라니까.'

그가 속으로 그렇게 중얼거리고 있을 때, 장예추가 다박사에게 수정루의 위치를 물었다. 다박사는 친절하게 설명했고, 장예추는 은자 몇 푼을 그의 손에 쥐여 주며 자리에서 일어났다.

"가자."

"가서 뭐하게?"

"언제 올 줄 알고 기다려? 가서 우리가 찾는 게 빠르지. 뭐, 아무리 생각해도 조 영감이 적임자라는 생각은 들지 않지만 말이야."

장예추는 냉정하게 말했다.

'쳇! 나도 그럴 것 같다.'

화군악은 속으로 투덜거리면서 자리에서 일어났다.

두 사람은 곧 다박사가 설명해 준 길을 따라서 수정루로 향했다.

완연한 봄날이었다. 행인들은 활기찬 걸음으로 바쁘게 거리를 오갔다. 이런 날씨에 술과 계집의 향기에 취한 채 기루 구석진 곳에 처박혀 있을 조 영감을 생각하자니 절로 한숨이 나왔다.

수정루는 악양 중심가에 위치한 고급 기루였다.

거대한 크기의 삼 층 전각은 제법 멀리 떨어진 곳에서도 눈에 확 들어왔다. 대충 봐도 평범한 백성들은 이용할 수 없는 고급 기루라는 게 느껴질 정도로 삼 층 전각의 외관은 화려하면서 아름다웠다.

화군악과 장예추가 수정루 입구에 당도한 건 해가 중천에 떠 있는 정오 무렵의 일이었다. 늦은 오후부터 문을 열고 손님을 받는 술집이나 기루의 특성상 수정루의 입구는 굳게 닫혀 있었다.

화군악은 가볍게 문을 두드렸다.

쿵! 쿵!

천둥치는 소리가 요란하게 울려 퍼졌다. 마침 주변을 지나가던 행인들이 깜짝 놀라며 바라보았지만, 화군악은 아무 일도 없었다는 듯이 태연하게 뒷짐을 지고 서 있었다.

잠시 후 문이 열리고 점소이가 고개를 내밀었다. 그는 제대로 잠을 자지 못한 듯 잔뜩 충혈된 눈으로 화군악과 장예추를 바라보며 짜증을 부렸다.

"새벽부터 이 무슨 소란이오?"

"허어, 새벽이라니. 해가 중천에 뜬 지도 한참이 지났다."

"그건 일반 사람들의 상식이고, 우리는 지금이 새벽이란 말이오!"

맞는 말이었다.

기루의 장사는 한밤중 문을 걸어 잠근 후에도 계속되었

다. 손님들은 기녀를 옆에 끼고서 밤새도록 술을 마시고 요리를 즐겼다.

이윽고 손님들이 술자리를 파하고 기녀와 함께 잠에 든 후에도 점소이들은 쉴 새가 없었다.

술상을 치우고 그릇들을 씻고 탁자를 닦고 걸레질을 하는 등 깨끗하고 완벽하게 내일 영업할 준비를 마친 후에야 그들은 아침 햇살을 뒤로한 채 비로소 잠자리에 들 수 있었다.

"됐다. 가서 조 영감이나 불러와라."

화군악은 은자 몇 푼을 쥐여 주며 말했다. 엉겁결에 은자를 받아 든 점소이의 목소리가 한결 누그러졌다.

"조 영감? 아, 조민 아가씨의 손님 말씀이시오, 조 나리?"

"맞다, 조 나리."

"무슨 일이시오? 편히 쉬고 계시는 손님을 함부로 부를 수는 없는 노릇이라 귀하들이 무슨 일로 조 나리를 찾는지 알아야 할 것 같소."

"어제 물주(物主)가 다시 찾아왔다고만 하면 된다. 이번에는 어제의 열 배나 되는 거래를 하러 왔다고 말이다."

"흠, 그 말만 전하면 되오? 행여 조 나리가 나오지 않아도 내 책임이 아니오?"

"그래, 네 책임은 아니다."

점소이는 다시 한번 화군악과 장예추를 쓸어 보고는 문을 닫았다. 화군악이 쓴웃음을 흘리며 중얼거렸다.

"조 나리라 이건가? 그 추레한 영감이?"

장예추도 미소를 지으며 말했다.

"어쨌든 손님이니까."

잠시 후, 다시 문이 열리고 예의 그 점소이가 고개를 내밀었다. 그러고는 뭔가 마땅치 않다는 표정을 지으며 말했다.

"들어오십쇼."

3. 요물(妖物)

화군악과 장예추는 그의 안내를 받으며 수정루로 들어섰다. 일순 그들은 저도 모르게 인상을 찡그리며 코를 막았다.

깨끗하게 치웠다고는 하지만 수정루 대청에는 밤새워 마시고 먹은 술과 기름진 요리들, 거기에 기녀들의 온갖 지분과 향수 냄새가 뒤섞여서 고약한 냄새로 가득 차 있었다.

"이리 오십쇼. 조 나리께서 거동하지 못하시겠다고 두

분 나리를 방으로 모시라고 하셨습니다."

점소이는 불퉁거리는, 하지만 그래도 예의는 갖춘 말투로 이야기하면서 화군악과 장예추를 삼 층으로 이끌었다.

삼 층은 으리으리하게 꾸며진 중앙 대청을 기준으로 좌우에 다관의 밀실처럼 지어진 방들이 나란히 늘어서 있었다. 방문마다 화려한 문양과 온갖 꽃들이 치장되어 있었으며, 문 한쪽에는 기녀들의 이름이 적힌 문패가 달려 있었다.

그 문패가 가로로 길게 매달려 있는 방이 있는가 하면 세로로 매달린 방도 몇 곳이 있었다.

화군악이 장예추에게 낮은 목소리로 소곤거렸다.

"문패를 가로로 걸린 건 그 방에 손님이 있다는 뜻이야. 세로는 없다는 의미고."

"잘 아네? 이런 곳에 자주 와봤나 봐?"

"다 들은 이야기야."

두 사람은 소곤거리며 점소이의 뒤를 따라 오른쪽 끝자락의 방으로 향했다.

방문 앞에 선 점소이가 조심스레 말했다.

"손님들을 모시고 왔습니다, 조 나리."

안에서 기품 넘치는 목소리가 들려왔다.

"들어오시라고 해라."

화군악과 장예추는 서로를 돌아보았다.

목소리는 확실히 조 영감이었는데 그 목소리에서 풍기는 기품과 품위는 전혀 달랐다.

문이 열리고 방 안의 풍경이 고스란히 드러났다. 귀한 자재로 만든 가구들이 보기 좋게 정렬되어 있었다.

중앙의 탁자에는 꽃병이 있었고, 바닥에는 값비싸 보이는 붉은색 구유(氍毹:카펫)가 깔려 있었다. 지붕이 있는 침상은 불투명한 망사로 만든 창렴(窓簾)으로 가려져서, 그 안에 있는 사람들의 형체만 어슴푸레 확인할 수 있었다.

"나가 봐라."

예의 그 조 영감의 목소리가 위엄 있게 흘러나왔다. 점소이는 허리를 숙이고 밖으로 나갔다.

"다들 앉으시게."

역시 위엄 넘치는 목소리가 이어졌다.

'반말이라…….'

화군악과 장예추는 쓴웃음을 지으며 탁자에 앉았다.

"내가 허리가 좋지 않아서 일어나기가 힘드네. 그러니 불편하겠지만 이 상태로 이야기를 나눔세."

화군악이 웃으며 말했다.

"알겠습니다, 조 나리."

"하지만 앞으로 나누게 될 이야기를 외인(外人)이 듣게 할 수는 없습니다만."

장예추의 말에 조 영감은 헛기침을 하면서 대꾸했다.

"흠, 이 아이는 외인이라 할 수 없다네."

"물론 조 나리께는 그렇겠죠. 그러나 우리의 입장도 생각해 주셨으면 감사하겠습니다, 조 나리."

화군악은 비아냥 가득 담아서 말했다. 조 영감은 머쓱한 목소리로 말했다.

"손님들께서 저리 말하니 임자가 잠시 자리를 피해 줄 수 있겠나?"

"그러죠."

부드럽고 달콤하며 매혹적인 목소리가 침상 안쪽에서 들려왔다. 부스럭거리며 옷을 걸치는 소리가 뒤를 잇는가 싶더니, 이내 휘장처럼 가려진 창렴을 젖히고 한 명의 아름다운 여인이 침상에서 걸어 나왔다.

꿀꺽.

화군악은 저도 모르게 침을 삼켰다.

눈이 번쩍 뜨일 정도로 아름답고 매혹적인 용모의 여인은 속이 내비치는 검은색 망사의(網紗衣)를 걸치고 있었다.

풍만한 젖가슴, 잘록한 허리, 탱탱하면서도 흐벅진 허벅지가 살랑거리는 망사의 사이로 흐릿하게 보이는 것이, 외려 더 가슴을 두근거리게 하고 목이 타들어 가게 만드는 효과가 있었다.

이십 대 초중반으로 보이는 여인은 아직 잠에 취한 듯 반쯤 감긴 눈으로 화군악과 장예추를 힐끗 바라보았다.

그 몽롱한 눈빛이 그녀의 미모를 더욱 빛나게 만들었으며 그녀의 환상적인 몸매를 뇌쇄적이고 음탕하게 느끼게 해 주었다.

그녀는 장예추와 화군악의 곁을 지나치면서 일부러인 듯 두 팔을 들어 헝클어진 머리카락을 정리했다.

일순 그녀의 겨드랑이가 고스란히 드러났다. 시커먼 털이 겨드랑이 가득 북슬북슬한 것이, 마치 아랫도리의 은밀한 그곳을 연상하게 했다.

화군악은 저도 모르게 황급히 두 다리를 오므려야만 했다. 그걸 본 여인이 빙긋 웃고는 엉덩이를 살랑거리며 문을 열고 밖으로 걸어 나갔다. 마치 발끝으로만 걷는 것처럼 부드럽고 조용한 걸음걸이였다.

"휴우."

문이 닫히자 화군악은 길게 한숨을 내쉬며 고개를 설레설레 흔들었다.

그제야 왜 조 영감이 그 나이에도 수정루의 단골이 되었는지, 왜 조민이라는 이 기녀에게 홀딱 빠져 있는지 알 수 있었다.

또 수백 냥을 써야만 겨우 하룻밤을 함께 지낼 수 있다는 말도 공감되는 순간이었다.

"저런 요물은 꽤 오래간만에 보네."

화군악은 중얼거리면서 장예추를 돌아보았다. 잔뜩 흥분한 그와는 달리 장예추는 여전히 평온하고 침착한 얼굴로 침상 쪽을 주시하고 있었다. 화군악은 살짝 기분이 상한 듯 그의 옆구리를 툭 치며 말했다.

"뭐야, 넌? 저 요물을 보고도 아무런 감흥이 일지 않아? 설마 고자야?"

"보지 않았거든."

장예추는 여전히 조 영감을 바라보며 침착하게 말했다.

"그녀가 침상을 빠져나올 때부터 문을 닫고 나갈 때까지 한 번도 그녀를 바라보지 않았으니까."

"호오, 그게 가능해?"

"물론이지. 굳이 보지 않고자 마음만 먹는다면 너도 충분히 가능한 일이야. 단지 너는 그럴 필요가 없다고 생각할 따름일 뿐이고."

"그럼 너는 그럴 필요가 있다고 생각한 거야?"

"나는 혜혜와 혼인한 후로 두 번 다시 다른 여인에게 한눈을 팔지 않기로 했었으니까."

"뭐야, 그건? 그럼 난 아내를 사랑하지 않는 천하의 바람둥이란 말이야?"

"꼭 그런 건 아니지. 아내를 사랑하면서도 얼마든지 바람을 피울 수도 있고, 또 아내를 사랑하는 것과 다른 여인을 탐하는 걸 별개의 것으로 생각할 수도 있으니까."

"어어? 이야기를 하면 할수록 내가 나쁜 놈이……."

"그건 나중에 이야기하기로 하자. 조 영감이 우리를 기다리고 있으니까."

장예추의 말에 화군악은 눈을 부라렸지만 그것도 잠시, 곧 조 영감에게로 시선을 돌렸다. 장예추는 조 영감이 누워 있는 침상을 바라보며 입을 열었다.

"혹시 물건도 사고파시오?"

조 영감이 문득 허허 웃더니 대답 대신 엉뚱한 이야기를 늘어놓기 시작했다.

"아쉽구려, 재미있는 언쟁이었는데. 그런데 잠시 두 분 대화를 듣자 하니, 왠지 그 나이에 어울리지 않는 이야기를 나누는구나, 하는 생각이 들었다오. 아무래도 갓 혼인을 했거나 혹은 혼인한 지 오륙 년도 되지 않은 이들의 대화 같은, 그러니까 사십 대 중반의 중년 사내들이 나누기에는 적절하지 않은 이야기 같아서 말이오."

화군악은 내심 뜨끔했다.

확실히 아내를 사랑하니, 바람을 피우니 하는 이야기는 사십 대 중반 남자들의 대화로는 어색한 내용이었다. 그 나이라면 이미 그런 건 통달했을 테니까.

"그건 중요하지 않소."

장예추가 다시 입을 열었다.

"다시 한번 묻겠소. 물건도 사고파시오? 이번에도 대답이 없으면 그만 일어나리다."

"허허, 원래 내 특기가 물건을 사고파는 것이오. 내 손에 쥐는 이익이 적더라도 파는 손님과 사는 손님 모두 만족할 수 있게끔 만드는 게 내 영업 방침이오."

"그러면 얼마나 고가(高價)의 물건까지 사고파셨소?"

장예추의 질문에 조 영감은 가늘게 눈을 뜨며 지난 기억들을 떠올렸다. 그러고는 씁쓸한 미소를 지으며 입을 열었다.

"지금이야 한갓 기녀에 푹 빠져서 정신을 차리지 못하는 늙은이에 불과하지만, 그래도 남창부에 있었을 때는 제법 큰 규모의 거래를 자주 했소. 은자 백만 냥 정도의 거래는 하룻밤에도 서너 번씩 한 적이 있었으니까."

"거짓말."

화군악이 저도 모르게 중얼거렸다.

"허허허. 거짓말처럼 들리시오? 하기야 나도 내게 그런 적이 있었나, 하고 의아할 때가 있으니까. 세상일이라는 게 어떻게 될지 아무도 모른다오."

그렇게 말하며 웃는 조 영감의 웃음소리가 왠지 처연하게 들렸다.

하지만 장예추는 여전히 무심했다. 그는 한 치의 흔들림 없이 차분한 어조로 계속해서 질문을 던졌다.

"그럼 지금도 그런 거래가 가능하시오?"

조 영감의 대답이 들려오지 않았다.

창렴 저편에서 장예추와 화군악을 살피며 그 진심을 파악하려는 듯한 침묵이었다.

그 침묵을 틈타 화군악이 입을 열었다.

"제값만 받아 준다면 조 영감이 얼마나 이득을 챙기든 상관하지 않겠소."

그제야 조 영감이 다시 말했다.

"어떤 물건이냐에 따라서 다르기는 하오. 그리고 제값이라는 것도 사실 그 의미가 불분명하기도 하고."

"피한주(避寒珠) 두 알과 피독주(避毒珠) 한 알, 그리고 피서주(避暑珠) 한 알이오."

"거짓말!"

이번에는 조 영감이 그렇게 말했다. 화군악이 웃으며 어깨를 으쓱거렸다.

"이것 참, 서로를 거짓말쟁이라고 여기는데 이 대화가 계속 이어질지 모르겠구려."

"그게 거짓말이 아니라면……."

조 영감의 목소리가 딱딱하게 이어졌다.

"설마 황궁이나 월영동부라도 턴 것이오? 그 두 곳이

아니라면 세상이 아무리 넓다 하더라도 그렇게 많은 보주(寶珠)를 한꺼번에 들고 다닐 수 없으니까.”

“그렇습니다.”

장예추는 차분하게 대답했다.

“우리가 가진 보주들은 확실히 그 두 곳 중 한 곳에서 나온 것들이니까요.”

순간, 허리가 아파서 누워만 있던 조 영감이 자리에서 벌떡 일어났다.

7장.

교룡회주(蛟龍會主)

당연히 아는 얼굴은 없었다.
오룡두가 제거되면서 그들의 제자나 심복도 모두 목숨을 잃었을 것이다.
그리고 새롭게 회주, 교룡두가 된 구 대인이라는 자의 인물들로
그 자리가 메워졌을 것이다.

1. 협상

“에구구구.”

조 영감은 인상을 찡그리며 두 손으로 허리를 부여잡았다. 아무래도 어젯밤 너무 무리한 모양이었다. 화군악과 장예추는 서로를 돌아보며 쓴웃음을 지었다.

한동안 허리를 부여잡은 채 고통을 삭이던 조 영감은 겨우 침상에서 내려와 탁자 앞에 앉았다. 그러고는 손을 내밀며 말했다.

“어디 보여 주시오.”

장예추가 봇짐을 탁자 위에 올려놓고 천천히 풀었다. 조 영감의 목젖이 크게 꿈틀거리는 가운데, 보자기 안에서 네 개의 보주가 그 모습을 드러냈다.

"오오!"

조 영감은 저도 모르게 감탄하고는 이내 신중하고 진지한 기색으로 보주들을 세밀하게 감정했다. 얼마 지나지 않아 그는 크게 고개를 끄덕이며 한숨을 내쉬었다.

"확실히 모두 진품이구려."

화군악이 웃으며 말했다.

"그럼 우리가 가품을 들고 다닐 사람으로 보이오?"

조 영감은 힐끗 화군악을 바라보고는 다시 보주를 내려다보며 말했다.

"그런 변장을 하고 다니는 사람들이니 당연히 가품을 들고 다닐 거라고 생각할 수밖에."

화군악이 움찔거렸다.

"우리가 변장했다는 거요, 지금?"

"허허. 진품과 가품을 구별하는 데 평생을 바친 눈이오. 그 정도 변장을 알아보지 못한다면 차라리 이 눈을 뽑는 게 낫겠지."

화군악은 꿀 먹은 벙어리가 되었다. 조 영감은 계속해서 보주들을 감상하며 말을 이어 나갔다.

"하지만 그 정도면 훌륭한 변장이오. 나 정도의 눈썰미를 가진 사람은 흔치 않으니 마음 놓고 돌아다녀도 되실 것이오. 그건 그렇고…… 이게 진짜 월영동부에서 나온 물건들이오?"

화군악은 자신의 변장이 들통난 게 영 마음에 들지 않았는지 눈살을 찌푸리며 퉁명스럽게 대꾸했다.

"월영동부에서 가지고 온 거라고 말한 것 같지는 않은데?"

"아, 황궁무고나 월영동부 둘 중 하나라 하셨소. 하지만 황궁무고의 물건치고는 그 보존 상태가 너무 좋지 않소. 보주의 겉면에 미세한 흠집들이 상당히 많은 걸로 보아 땅속에 묻혀 있던 걸 파낸 것 같구려. 그렇지 않소?"

화군악은 입을 다물었다.

확실히 이 조 영감이라는 자의 눈썰미 하나만큼은 인정해 줘야 할 것 같았다.

"월영동부가 무너져 내려앉았다는 건 이 바닥에 알 사람은 아는 소문이오. 그 소문을 확인하려고 무수히 많은 중개꾼들이 십만대산으로 향했다오. 물론 나도 그중 한 명이었고."

조 영감은 더 이상 허리가 아프지 않은 듯, 아니면 허리의 통증조차 잊은 듯 쉬지 않고 입을 놀렸다.

"흠, 이 보주들을 보니 그때 조금 더 찾아볼 걸 너무 빨리 포기했나 싶구려. 끝까지 참고 인내하지 못했다는 것이 아쉽고 또 아쉬울 따름이오."

그때였다. 장예추가 문쪽을 바라보며 싸늘하게 외쳤다.

"누구냐?"

동시에 화군악이 허공을 훌쩍 날아 문을 박찼다. 그야말로 전광석화와 같은 몸놀림이었다. 그 놀라운 신위에 조 영감의 눈이 휘둥그레졌다.

"엄마야!"

문밖에 있던 여인이 비명을 지르며 나동그라졌다. 그녀가 들고 있던 찻주전자가 바닥에 떨어지며 요란한 소리를 냈다. 뒤늦게 문 쪽으로 시선을 돌린 조 영감이 깜짝 놀라며 소리쳤다.

"아이쿠, 민아!"

치마가 홀라당 뒤집힌 채로 나동그라진 여인은 이 방의 주인인 조민이었다.

그녀는 마침 찻주전자와 다과를 가지고 돌아와 문을 열려다가 화군악의 느닷없는 발길질에 그만 중심을 잃고 나동그라진 것이다.

"다치지 않았느냐?"

조 영감은 보주고 허리 통증이고 전혀 상관없다는 듯이 자리에서 벌떡 일어나 허둥지둥 그녀에게로 달려가 부축해 일으켜 세웠다.

조민은 놀란 가슴을 진정시키려는 듯 풍만한 가슴에 손을 올리며 말했다.

"다행히 다친 곳은 없어요. 하지만 너무 놀라서 심장이

멈출 뻔했다고요."

그녀의 울먹이는 듯한 목소리에 조 영감의 애간장이 타들어 갔다. 조 영감은 화군악은 노려보며 소리쳤다.

"이게 무슨 짓이오? 하마터면 이 아이가 크게 다칠 뻔하지 않았소?"

화군악은 냉랭한 눈빛으로 조민을 바라보다가 문득 한숨을 쉬고는 두 손을 모으며 사과했다.

"죄송하오. 내가 너무 과민하게 반응했던 모양이오. 자, 이걸로 다친 곳을 치료하시기 바라오."

그는 품에서 은자 백 냥짜리 전표들을 꺼내 그중 한 장을 조민의 손에 쥐여 주었다.

전표 다발을 본 조민의 눈빛이 빠르게 변했다. 동시에 그녀의 눈길이 방 안을 훑듯이 움직였다가 다시 화군악에게로 향했다.

"괜찮아요."

그녀는 배시시 웃으며 다시 전표를 건네주며 말했다.

"다친 곳이 없으니 이 돈은 감히 받을 수가 없네요. 그럼 다시 차와 다과를 가지고 올게요."

그녀는 쟁반에 찻주전자와 다과를 주워 담은 다음, 다시 복도를 따라 아래층으로 내려갔다. 조 영감이 식은땀을 닦으며 말했다.

"만약 저 아이가 다치기라도 했으면 설령 백만금을 준

다 하더라도 이 일을 맡지 않았을 것이오."

화군악은 뭔가 말을 하려다가 쓴웃음을 지으며 고개를 숙였다.

"사과하겠소. 조금 전에도 말했지만 너무 과민한 반응을 보인 것 같소."

화군악이 그렇게까지 정중하게 말하자 조 영감도 살짝 인상을 풀고는 방으로 돌아가려 했다.

"어이쿠!"

상황이 정리되고 긴장을 풀었던 까닭일까. 뒤늦게 허리의 통증이 찾아온 조 영감은 허리를 굽힌 채 어기적거리며 자리에 앉았다.

화군악은 문을 닫으며 밖의 상황을 살펴보았다.

'역시…….'

그의 입가에 희미한 미소가 매달렸다. 아직도 계단 아래로 내려가지 않은 채 이쪽 상황을 염탐하는 한 사람의 기척이 느껴졌던 것이다.

화군악은 문을 닫고 다시 자리에 앉았다.

"삼 할이면 어떻소? 개당 백만 냥 이상 받아 줄 테니까."

조 영감은 화군악과 장예추를 둘러보며 말했다.

"두 분도 아시겠지만 요즘 경기가 그리 좋은 편이 아니오. 예전 같았더라면 내가 아니더라도 어지간한 아호들이면 충분히 은자 백만 냥씩 받아 낼 수 있는 보주들이오. 하지만 지금은 상황이 많이 다르오. 아무리 이 보주들이 귀하고 좋은 물건이라 하더라도 백만 냥씩 내고 살 만한 사람은 거의 없소. 내 이 바닥에서 보낸 시간과 인맥이 아니면 그 어떤 아호도 그런 구매자를 찾을 수 없을 거라고 장담하오."

화군악이 웃으며 말했다.

"원래 뭔가 찔리면 말이 길어진다고 하죠? 삼 할이라니, 어림 반푼도 없는 소리외다."

"아니, 진짜라니까. 어딜 가져가도 그런 구매자를 찾기 힘들 거라고…… 아니, 잠깐만. 허어, 젊은 양반들이 이렇게나 성질 급해서 어디 쓰겠소. 그 보주들을 놓고 이야기합시다. 원래 흥정을 붙이고 싸움을 말리라고 하지 않았소?"

조 영감은 화군악이 보자기를 싸는 시늉을 하자 화들짝 놀라며 말했다.

"좋소. 판매 대금의 이 할. 그리고 최소 백만 냥 이상씩. 기한은 한 달. 어떻소? 내가 크게 양보하리다."

화군악은 아무 대꾸 없이 보자기를 쌌다. 이번에는 조 영감도 말리지 않았다.

그는 뒤로 물러나 앉으며 한숨을 쉬었다.

"허어, 정말 말귀 못 알아들으시는 분들이네. 좋소. 다른 곳에 가 보시오. 과연 백만 냥이라는 말을 입에 올리는 자들이 있나 말이오."

"뭔가 착각하고 있구려."

장예추가 차분한 어조로 말했다.

"조 영감께서 백만 냥씩 받아 낸다 칩시다. 그럼 보주 네 개의 판매액이 총 사백만 냥이고, 거기에 이 할이면 팔십만 냥을 허 영감이 갖게 되는 것이오. 즉, 우리에게는 삼백이십만 냥이 쥐어지게 되는 게 아니오?"

화군악이 고개를 끄덕이며 말을 이어받았다.

"하지만 다른 중개꾼들은 오 푼의 수고료라도 감지덕지하겠지. 누구처럼 백만 냥씩은 아니더라도 구십만 냥은 받아 낼 테고. 그럼 삼백육십만 냥에 오 푼의 수고료를 떼면 삼백사십이만 냥이 우리 손에 들어오네? 어라? 어떤 게 이익일까?"

조 영감이 인상을 찌푸리며 말했다.

"누가 구십만 냥씩이나 주고 보주를 사는 손님을 물어온단 말이오? 게다가 오 푼의 수고료에 만족하는 중개꾼이 또 어디 있소?"

"요즘 경기가 나쁘다고 누가 말했더라? 이렇게 불황인 요즘 십팔만 냥의 수고료를 챙길 수 있는 거래를 어느 중개꾼이 마다할 수 있을까? 안 그렇게 생각하십니까, 조 나리?"

화군악이 놀리듯 묻자 조 영감은 입술을 굳게 다물었다.

"그럼 일어나지."

보자기를 다 싼 장예추가 화군악에게 말을 건네며 자리에서 일어났다. 화군악이 웃으며 조 영감에게 말했다.

"미안하오. 조민 아가씨와의 즐거운 시간을 방해해서. 아, 이걸로 두 사람이 저녁이나 사 드시오."

화군악은 조금 전 조민에게 돌려받았던 전표를 탁자 위에 내려놓고는 장예추를 따라 자리에서 일어났다. 조 영감은 탁자 위의 전표를 내려다보다가 결국 길게 한숨을 내쉬며 두 손을 번쩍 들었다.

"좋소! 일 할. 일 할로 합시다. 나는 사십만 냥, 두 분은 삼백육십만 냥! 그러면 되지 않겠소?"

화군악과 장예추는 다시 자리에 앉았다. 화군악이 진지한 얼굴로 말했다.

"기한은 보름, 판매 대금은 일 할. 만약 보름 이내에 구매자를 찾고 거래를 성사시키면 추가로 일 할. 어떻소?"

그 말에 조 영감의 입이 찢어졌다.

"최대한 빨리 구매자를 구해 오리다. 그럼 어디로 연락을 취해야 하오?"

"서쪽 거리의 용호객잔(龍虎客棧)에 묵고 있소. 나는 손 모라고 하고, 이쪽은 모씨라고 하오. 그리고 용호객잔의 정확한 위치는…….”

“아, 알고 있소이다. 그럼 서화로(西華路) 뒷골목에 있는 용호객잔에서 손 대협이나 모 대협을 찾으면 되는 게요?”

“아, 유 노대라고 동행이 한 분 더 계시오. 우리가 없으면 그분을 찾으셔도 되오.”

“유 노대라…… 알겠소이다. 그리하겠소.”

조 영감이 눈빛을 빛내며 말할 때였다.

2. 확실히 미묘해

문밖에서 다급한 소리가 들려왔다.

“조 나리, 계십니까?”

조금 전 화군악과 장예추를 이곳으로 안내했던 점소이의 목소리였다. 조 영감은 일순 거드름을 피우며 말했다.

“한참 회담 중에 무슨 일이냐?”

“그게…… 교룡회에서 지금 난리가 났다고 합니다.”

조 영감은 깜짝 놀랐다.

“교룡회? 아니, 왜?”

“웬 늙은이가 갑자기 쳐들어와서 이것저것 마구 부수며 난리를 피우고 있다 합니다. 지금 교룡회의 정예들이 속속 그곳으로 모여드는 중이라고 합니다. 조 나리께서도 교룡회와 친분이 있으시니만큼 알아 두셔야 할 것 같아서 전해 드립니다."

"허허. 고맙네."

"그럼 방해해서 죄송합니다."

점소이의 인기척이 사라졌다. 그리고 마치 교대하듯 꾀꼬리 같은 음성이 들려왔다.

"차와 다과를 가져왔어요. 들어가도 되나요?"

조민의 목소리였다. 이내 조 영감의 얼굴이 풀어졌다. 그는 흘흘 웃으며 입을 열었다.

"어서 들어오렴."

문이 열리고 조민이 쟁반을 든 채 들어왔다. 여전히 하늘거리는 검은색 망사의만을 걸친 그녀는 조심스레 걸어와 허리를 굽히며 탁자 위에 쟁반을 내려놓았다. 그녀의 탱탱한 젖무덤이 사내들의 시야를 점령했다.

"허험!"

조 영감이 크게 헛기침을 했다. 화군악과 장예추는 얼른 그녀의 가슴에서 시선을 돌렸다. 조 영감이 조민을 보며 부드럽게 말했다.

"춥겠다. 옷이라도 걸치지 그러느냐?"

"그럴까요?"

조민은 펑퍼짐한 둔부를 살랑거리며 침상으로 가서 옷을 걸쳤다. 비단옷 아래로 늘씬한 다리가 망사에 살짝 가려진 모습이 더욱더 육감적이었다.

"그럼 우리는 이만 일어나지."

장예추가 보자기를 들고 자리에서 일어났다.

"잘 부탁하오."

화군악도 자리에서 일어났다.

"멀리 나가지 않겠소."

조 영감이 침상 쪽으로 걸어가며 말했다.

* * *

화군악은 힐끗 뒤를 돌아보았다. 방금 두 사람이 빠져나온, 화려한 문양과 치장을 한 수정루가 웅장한 모습으로 서 있었다.

화군악은 그 삼 층 꼭대기를 쳐다보며 중얼거렸다.

"확실히 미묘해."

장예추도 고개를 끄덕였다.

"그래, 확실히 미묘하지."

"내가 문을 박찼을 때 그 계집이 나동그라진 거 봤어? 그렇게 크게 나동그라졌지만 전혀 다치지 않았거든. 무공을 익힌 흔적은 없는 것 같은데, 어지간한 고수의 몸놀림보다도 더 유연해. 설마 그 계집이 내가 쉽게 감지할 수 없을 정도의 고수라는 걸까?"

"응? 그 이야기였나?"

"응? 그럼 너는 뭐가 미묘하다는 거야?"

"나는 교룡회에서 난동을 부린다는 늙은이를 말한 거였어."

"아, 그 늙은이? 그게 왜?"

"혹시 유 사부가 아닐까 하는 생각이 들었거든. 어제 교룡회에서도 그랬고, 우리가 나올 때도 유 사부의 안색이 영 좋지 않았거든."

"에이, 설마?"

화군악이 고개를 설레설레 저으며 말했다.

"아무리 오룡두와 친분이 있다고 해도 그렇지, 그렇게 교룡회에 쳐들어가서 뭐 하게? 설마하니 그 교룡회주인가 구 대인인가 하는 자의 멱살을 잡고 '왜 죽었느냐?'면서 따지려고? 에이, 진짜 말도 안 돼."

화군악은 웃으며 말을 이었다.

"뭐 성질 급한 나라면 또 그럴지 모르겠다. 하지만 언제나 부드러우면서 인자한 유 사부가 그런 행동을 한다? 차라리 내일 해가 서쪽에서 뜬다고 해."

물론 해가 서쪽에서 뜨는 일은 없었다. 하지만 화군악의 장담과는 달리, 지금 교룡회를 발칵 뒤집어 놓은 늙은이는 다름 아닌 유 노대였다.

화군악과 장예추가 그 사실을 알게 된 건 제법 시간이

흐른 뒤의 일이었다.

장예추는 아무래도 마음에 걸린다면서, 근처 객잔에서 식사를 하고 가자는 화군악을 이끌고 황급히 용호객잔으로 되돌아갔다.

그들이 묵고 있는 별채는 텅 비어 있었다. 어디에고 유 노대의 모습은 찾아볼 수가 없었다. 당황한 장예추와 화군악은 점소이를 불러 유 노대가 언제 별채를 떠났는지 물어봤지만 점소이는 고개를 저었다.

"어젯밤 이후 뵌 적이 없습니다."

장예추와 화군악은 곧장 교룡회로 출발했다.

"아, 진짜 왜 소란을 일으키는데!"

교룡회를 향해 서둘러 발길을 옮기는 도중, 화군악이 짜증 섞인 목소리로 투덜거렸다.

"안 그래도 금해가 눈에 띌까 봐 이렇게 답답한 변장까지 하고 있는데 말이지."

장예추는 거리의 붐비는 행인들 사이를 요리조리 헤집으며 화군악을 향해 말했다.

"투덜거리는 건 나중에 유 사부를 만나서 해도 돼. 지금은 조금이라도 빨리 그곳에 당도하는 것만 생각하라고."

"젠장! 밤이라면 경공술이라도 펼칠 텐데."

사람의 이목이 많을 때는 최대한 조심해야 하는 게 옳

았다. 이 수많은 인파 속에 행여 금해가나 태극천맹 사람이라도 있다가 행여 그들의 경공술을 보게 된다면 분명 또 다른 사달이 일어날 수 있었으니까.

제법 시간이 흐르고, 그들은 교룡회에 당도할 수 있었다. 아직도 싸움이 계속되는지 교룡회에서 꽤 떨어진 곳에서도 요란한 소리가 들려왔다.

화군악과 장예추는 황급히 걸음을 옮겨 교룡회 가까이 다가갔다. 수백 명의 행인들이 걸음을 멈춘 채 교룡회 주변을 에워싼 채 흥미진진한 눈으로 구경하고 있었다.

자고로 구경 중에서는 불구경과 싸움 구경이 으뜸이라 하지 않았던가. 특히 허공을 날고 벽을 부수는 무인들의 싸움은 확실히 구경할 맛이 났다.

교룡회의 정문은 거인의 주먹에 맞은 듯 거의 형체가 남아 있지 않을 정도로 심하게 부서져 있었다.

정문 안쪽의 드넓은 마당에서는 수십 명의 흑의인들과 한 명의 노인이 드잡이를 벌이고 있었다. 그곳에서 제법 오랫동안 싸웠는지 연무장처럼 드넓은 마당 주변에는 아무렇게나 나자빠진 흑의인들이 수십 명이나 되었다.

"설마 다 죽인 건 아니겠지?"

인파를 뚫고 맨 앞쪽까지 나온 화군악은 눈을 가늘게 뜨며 중얼거렸다.

"죽이지는 않고 있네. 저것 봐. 지금도 흑의인의 마혈을 짚고 있잖아?"

장예추의 말처럼 한 명의 노인, 유 노대는 흑의인들 사이를 나비처럼 유유자적하게 날아다니면서 상대의 빈틈을 파고들며 한 명씩 점혈하는 중이었다.

화군악과 장예추는 곧장 유 노대에게로 달려가려다가 아직 상황이 여유가 있다는 걸 확인하고는 잠시 추이를 관망하기로 했다. 사실 그들은 유 노대가 싸우는 광경을 처음 보는 것이기도 했다.

확실히 유 노대의 움직임은 부드러우면서도 유장(流長)해서 지켜보는 이로 하여금 절로 감탄하게 만들고 있었다.

유 노대가 둥실둥실 허공을 날아다니면서 손을 뻗을 때마다, 한 명의 흑의인이 심장마비라도 걸린 듯 그대로 꼬꾸라지거나 나자빠졌다.

유 노대를 에워싼 흑의인들도 제법 실력이 만만치 않은 듯 연신 칼을 휘두르고 검을 내지르면서 그를 공격했지만, 그래도 곤륜파의 보법을 따라잡을 정도의 무위는 아니었다. 흑의인들의 칼과 검은 연신 텅 빈 허공을 베고 긋기만을 반복할 따름이었다.

그렇게 현격한 무공 차이에도 불구하고 쉽게 싸움이 끝나지 않는 까닭은, 쓰러지는 흑의인의 숫자만큼 계속해서 흑의인들이 충원되고 있기 때문이었다.

화군악은 연무장 한쪽으로 시선을 돌렸다. 그곳에는 대략 백여 명이 넘는 흑의인들이 떼로 모인 채 무기를 꼬나 들고는 자신들이 나설 차례만을 기다리고 있었다.

"대단하네. 저게 다 교룡회의 무사들인가?"

화군악이 놀라 중얼거리자, 장예추가 눈을 가늘게 뜨면서 말을 받았다.

"더 대단한 건 저 본채 쪽에 있는 자들이야. 그들이 뿜어내는 투기만으로도 다른 흑의인들과 비교가 안 될 정도의 강한 무위를 지녔다는 걸 알 수 있거든."

화군악은 다시 고개를 돌려 연무장 안쪽의, 전면을 가로막고 우뚝 서 있는 오 층 전각으로 시선을 돌렸다.

"으음."

화군악은 저도 모르게 미미한 신음을 흘렸다.

전각의 꼭대기 오 층 난간에 십여 명의 사람들이 모여서 연무장의 싸움을 구경하는 중이었다.

그 열 명이 넘는 자들 모두 하나같이 도도한 기세와 강렬한 투기를 뿜어내는 것이, 결코 평범한 고수들이 아님을 직감할 수 있었다.

"저들까지 나선다면 아무리 유 사부라고 하더라도 제법 곤란해질 텐데."

화군악이 중얼거릴 때였다.

흑의인들은 유 노대가 살수를 펼치지 않는다는 사실을

알아차린 듯, 방어는 도외시한 채 더욱 강렬하고 살기 넘치는 공격을 퍼붓기 시작했다.

칼날이 허공을 가르는 소리가 웅웅 울려 퍼졌다. 검과 창이 매섭게 바람을 가르는 소리가 날카롭게 쏟아졌다.

유 노대는 여전히 우아하고 부드러운 몸짓으로 그 공격들을 피하는 한편, 순식간에 흑의인들의 뒤로 돌아가 어깨를 짚고 옆구리를 찍었다. 점혈당한 흑의인들은 비명을 지르거나 신음을 흘릴 새도 없이 나가떨어졌다.

하지만 충원은 계속되었으며, 또 아직도 대기하고 있는 흑의인의 숫자는 크게 줄어들지 않았다.

더불어 충원되는 흑의인들의 무위는 갈수록 높아져서, 이제는 아무리 유 노대라 하더라도 그렇게 간단하게 상대의 공격을 피할 수 없는 상황까지 이르렀다.

"허어!"

유 노대는 크게 탄성을 질렀다.

"아무래도 안 되겠구나! 지금부터 냉혹하게 마음을 먹고 살계를 열어야겠다!"

그의 대노한 목소리가 연무장 전체에 쩌렁쩌렁 울려 퍼졌다.

일순 유 노대를 에워싼 채 공격을 퍼붓고 있던 흑의인들이 움찔 놀라며 한 걸음씩 뒤로 물러났다.

바로 그 순간이었다.

유 노대가 곤륜대팔식의 경공술을 펼치며 허공 높이 몸을 날린 것은.

3. 송강우(宋江雨)

유 노대가 지면을 박차고 허공 높이 신형을 띄운 건 마치 한 마리의 학이 비상(飛翔)하는 것처럼 아름답고 우아했다.

한껏 높이 치솟은 허공에서 몸을 뒤집으며 방향을 선회, 곧장 오 층 전각으로 날아가는 건 마치 용이 몸을 뒤집어 가면서 하늘을 하는 듯한 광경이었다.

"오오, 비룡번신(飛龍翻身)이다!"

교룡회 주위를 에워싼 수많은 구경꾼 중에서 제법 안목있는 무림인이 있었는지, 크게 감탄하며 소리쳤다.

일반 행인들이야 그게 무슨 수법인지 알 리가 없었지만, 어쨌든 인간의 몸으로 십여 장이 훨씬 넘는 공중으로 몸을 띄워 허공을 나는 광경에 모두 손뼉을 치고 환호했다.

유 노대는 단번에 흑의인들의 포위망을 벗어나 허공을 날아가더니 순식간에 오 층 전각 난간으로 내려앉았다. 그 한 수의 경공술이야말로 유 노대의 현재 무위가 어느 정도인지 제대로 보여 주고 있었다.

하지만 난간에 모여 있던 십여 명의 사람들은 전혀 놀라거나 당황하지 않았다. 외려 고개를 끄덕이며 감탄하기도 했고, 혹은 손뼉까지 치면서 즐거워했다.

"역시 곤륜파의 경공술은 다르군그래."

모여 있던 자들 중에서 누군가가 감탄하며 말했다. 그러자 다른 자들도 고개를 끄덕이며 말을 이어받았다.

"방금 우리가 본 게 곤륜대팔식의 일학충천(一鶴沖天)과 비룡번신의 두 수법이었지, 아마?"

"호오, 지금껏 곤륜파 사람들을 서너 번 정도 만난 적이 있었지만 이 정도까지 조예가 깊은 사람은 처음이야."

"이 노인네가 어제 그렇게 오룡두를 찾았다던 그 노인네인가 보지?"

"푸하하하! 오룡두가 사라진 게 벌써 언제 적 이야기인데 말이야! 이렇게 세상 물정 모르는 걸 보니, 어디 심산유곡에서 십 년 정도 살다가 돌아왔나 보군그래."

사람들은 모두 다리를 꼬고 의자에 앉은 채 그렇게 웃고 떠들었다.

난간 위에 우뚝 선 유 노대는 차분한 표정으로 그들의 얼굴 하나하나를 내려다보았다.

당연히 아는 얼굴은 없었다. 오룡두가 제거되면서 그들의 제자나 심복도 모두 목숨을 잃었을 것이다. 그리고 새롭게 회주, 교룡두가 된 구 대인이라는 자의 인물들로 그 자리가 메워졌을 것이다.

'이 천둥벌거숭이 같은 녀석들이 그놈들이겠지.'

유 노대는 사람들의 얼굴을 쓰윽 둘러본 다음 묵직한 목소리로 말했다.

"누가 교룡두이더냐?"

십여 명, 정확하게 열두 명의 사람 중에서 유이(有二)한 여인이 웃으며 입을 열었다.

"누굴까 알아맞춰 보세요."

그녀의 말에 사람들이 크게 웃음을 터뜨렸다.

유 노대는 가만히 여인의 얼굴을 내려다보았다. 서른은 넘은 것 같고 마흔은 되지 않아 보였다. 몸매는 매혹적이었고 얼굴도 나름 괜찮았지만, 그래도 여우 같은 인상에 속내를 알 수 없는 눈빛이 께름칙한 여인이었다.

"자네가 아닌 것만은 확실하군."

유 노대의 말에 여인은 까르르 웃으며 말했다.

"참 잘했어요. 맞아요. 나는 아니에요. 그럼 누가 교룡두일까요?"

유 노대는 다시 한번 사람들을 둘러본 후 가볍게 한숨을 내쉬며 말했다.

"아무래도 이 자리에는 없는 모양이구나."

여인이 고개를 갸웃거리며 물었다.

"왜 그렇게 생각하는데요?"

"다들 고만고만해 보이니까. 따로 특출하게 보이는 자가 없으니까."

"어머, 어머. 그건 우리 모두를 얕잡아 보는 말이네요. 아 다르고, 어 다르다고 고만고만하다는 말보다는 다들 너무 뛰어난 인재라 그중 한 명을 고를 수 없다고 하는 게 훨씬 더 듣기 좋을 것 같은데요?"

"자네 듣기 좋으라고 하는 말이 아니다."

"하지만 우리의 기분을 상하게 하는 것보다는 우리를 기분 좋게 하는 게 더 낫지 않겠어요? 혹시 알아요? 마음에 들면 누가 교룡두인지 가르쳐 줄지도."

"됐다. 내가 직접 찾아보마."

"아, 잠깐만요."

유 노대는 난간을 박차고 건물 안으로 뛰어들려다가 문득 동작을 멈췄다. 여인은 생글생글 웃으며 입을 열었다.

"그나저나 교룡두는 왜 찾는데요?"

"자네 알 바 아니다."

"아니, 알아야지 교룡두에게 말씀드릴 거 아니겠어요? 곤륜파의 한 늙은이가 이런이런 용무로 교룡두를 뵙고자 합니다. 뭐 이런 식으로 보고를 올려야 하거든요, 우리도."

유 노대는 가볍게 한숨을 내쉬었다.

확실히 여인을 대하는 일은, 그것도 젊고 아름다우면서 여우처럼 생긴 여인을 대하는 일은 확실히 귀찮고 번거로우며 힘이 드는 작업이었다.

'이럴 때 군악이 곁에 있었더라면…….'

절로 화군악이 생각하는 순간이었다.

그 녀석이라면 능글맞게 여인과 대화를 나눌 것이다. 외려 저 여유가 철철 넘쳐흐르는 여인의 속을 뒤집어 놓고 부아가 치밀게 할 것이다.

아쉽게도 유 노대에게는 그런 능력이 없었다. 이 여우 같은 여인과 말을 섞으면 섞을수록 혼란스럽고 짜증이 나며 불쾌해지는 건 그였다.

"됐다. 내가 직접 그를 찾으마."

유 노대가 다시 난간을 걷어차려는 순간이었다. 전각 아래 연무장 쪽에서 우렁찬 목소리가 들려왔다.

"멈추시오!"

거대한 오 층 전각이 진동을 일으킬 정도로 쩌렁쩌렁 울리는 고함이었다.

유 노대를 비롯한 사람들의 시선이 모두 연무장으로 쏠렸다. 그곳에는 십여 명의 백의 무사들이 새롭게 모습을 드러냈는데, 그중 털북숭이 장년이 호목(虎目)을 부릅뜬 채 오 층 난간을 올려다보고 있었다.

유 노대들과 시선이 마주치자 털북숭이 장년이 다시 크

게 고함쳤다.

"본인은 태극천맹 악양지부의 책임을 맡고 있는 송강우(宋江雨)라고 하오!"

"이런."

구경꾼들 사이에서 그 광경을 지켜보고 있던 화군악이 눈살을 찌푸리며 투덜거렸다. 장예추가 솔깃한 표정을 지으며 물었다.

"아는 사람이야?"

"아니, 몰라."

"그런데 왜?"

"어쨌든 태극천맹 사람들이 모습을 드러냈잖아? 곧 있으면 금해가에서도 달려올 거라고."

"금해가가 왜?"

"이야기 들었잖아? 이 교룡회에서 태극천맹과 금해가에게 바치는 조공이 어마어마하다고."

"흠, 그렇다고 설마 천하의 금해가에서 교룡회 같은 하오문의 사건에 관여를 할까?"

"태극천맹은?"

"태극천맹이야 무림의 법과 질서를 수호한다는 명목이 있으니 그게 말이 되든, 그렇지 않든 간에."

"아냐, 두고 보라고. 분명 금해가에서도 사람들이 올 거야."

"그럴까?"

"그래. 그러니까 서둘러야겠어."

화군악은 주위를 둘러보다가 구경꾼들이 붐비는 뒤쪽으로 빠르게 손을 뻗었다가 회수했다.

어느새 그의 손에는 남정네의 반쯤 찢어진 웃옷이 들려 있었다. 화군악이 그 옷을 소매에 넣을 때, 뒤늦게 뒤쪽에서 사내의 고함 소리가 터져 나왔다.

"누구야, 내 옷을 찢은 자식이!"

사람들이 웅성거리는 가운데 화군악은 머뭇거리는 장예추를 이끌고 그 자리를 벗어났다.

한편 본인을 송강우라고 소개한 중년인은 오 층 난간을 향해 다시 큰 소리로 고함쳤다.

"지금부터 이곳은 태극천맹의 관할이 되었소! 내 허락 없이 싸우는 자가 있다면 태극천맹에 반기를 드는 것으로 알고 엄중하게 처리할 것이오!"

거기까지 외친 송강우는 오 층 전각의 높이를 가볍게 눈대중으로 재는가 싶은 순간, 이내 한 발로 땅을 박차며 힘껏 솟구쳐 올랐다.

마치 한 마리 범이 도약하듯 빠르고 강렬하고 솟구친 송강우는 삼 층 기둥을 한 번 발로 걷어차면서 재도약을 하더니, 이내 허공에서 한 바퀴 회전하면서 오 층 난간 안쪽으로 가볍게 착지했다.

유 노대의 경공술이 우아하고 부드러웠다면 송강우의 경공술은 빠르고 강렬하며 힘이 넘쳐흘렀다. 구경꾼들이 저마다 환호하며 손뼉을 쳤다.

오 층 양대(陽臺:발코니)에 착지한 송강우는 유 노대를 향해 손을 모으며 인사했다.

"사람들에게 전해 들었소. 곤륜파의 노기인을 만나 뵙게 되어 영광이오."

그 오만한 말투에 유 노대의 인상이 절로 찌푸려졌다.

8장.

형산축융(衡山祝融)

스스로 내공이 강하다고 자신만만하게 버티려던 자들은
눈이 타들어 갈 것 같은 고통과 심장을 망치로 내리친 듯한 타격을 입고
심지어 피까지 토하는 경우도 있었다.

1. 형산(衡山)

"저기...... 궁금한 게 있는데 여쭤봐도 되겠습니까?"

형산파로 돌아가는 길목에서 형산천검 황은탁이 조심스레 입을 열었다.

"말해 보게."

담우천은 말고삐를 느슨하게 잡은 채 자신의 곁으로 말을 몰아 다가온 황은탁에게로 시선을 돌리며 말했다.

황은탁은 앞서서 말을 모는 형산뇌검을 힐끗 바라본 후 다시 나지막한 목소리로 물었다.

"담 대협께서 내거신 조건 말입니다. 그게 반드시 통과되어야만 우리가 원조를 받을 수 있는 겁니까?"

"그래야겠지. 우리도 은자 백만 냥이라는 거액을 허투루 낭비할 수는 없으니까."

"역시 그렇겠죠? 하지만 우리 장문인이나 장로들께서……."

황은탁은 뭔가 말을 하려다가 이내 고개를 휘휘 내저으며 입을 다물었다. 그러고는 "알겠습니다, 감사합니다."라는 말을 남긴 후 곧바로 말을 달려 형산뇌검에게로 향했다.

그들은 곧 담우천과 나찰염요가 듣지 못하도록 낮은 목소리로 은밀하게 대화를 나누었는데, 담우천은 그리 어렵지 않게 그들의 대화를 훔쳐 들을 수가 있었다.

"제 소견으로는 아무래도 웃어른들께서 그 제안을 받아들이지 않으실 것 같습니다."

"그건 우리가 관여할 바가 아니다. 우리는 그저 담 대협과 담 부인을 형산파로 모시고 가면 되는 게야."

"하지만 그렇게 담담하게 말씀하시기에는 본 파의 재정 상황이 너무 안 좋지 않습니까? 우리가 뭐라도 해야 하지 않을까 싶은데요."

"뭐라도 하려고 하산했던 게 아니냐? 그리고 백만 냥 이상의 가치가 있는 고서화(古書畵)의 주인들을 만나게 된 게고. 또 그들을 사부들과 만나게끔 주선까지 하고 있지 않느냐? 그 이상 우리가 할 수 있는 게 또 무엇이 있겠느냐?"

“그럼 사형은 사부들께저 저들의 제안을 받아들일 거라고 생각하십니까?”

“그건 내가 관여할 바가 아니라고 했지 않느냐?”

“하지만…….”

“그만해라. 이제 곧 형산이다. 그래도 날이 저물기 전에 유하촌(流霞村)까지는 당도해야 할 테니 조금 더 서두르기로 하자꾸나.”

말을 마친 형산뇌검은 곧 뒤를 돌아보며 소리쳤다.

“속도를 올리겠소이다. 아무래도 해가 지기 전에 숙소를 잡아야 하니까 말이오!”

담우천이 고개를 끄덕이는 걸 본 형산뇌검은 이내 박차를 가하며 소리쳤다.

“이랴!”

말이 길게 울음을 토하고는 힘차게 달리기 시작했다. 형산뇌검을 태운 말은 먼지를 일으키며 순식간에 멀어져 갔다. 형산천검 황은탁도 황급히 고삐를 흔들며 그 뒤를 쫓았다.

담우천과 나찰염요는 어깨를 나란히 한 채 말을 달리며 대화를 나눴다.

“저도 저 아이와 같은 생각이에요.”

나찰염요의 말에 담우천은 고개를 끄덕였다.

“나도 그렇게 생각하네.”

나찰염요가 고개를 갸웃거렸다.

"그런데 왜 그런 조건을 내거셨어요? 그들에게 빚을 지울 요량이었다면 무담보로도 충분했을 것 같은데요. 어차피 정파 사람들이라는 게 체면과 자존심으로 스스로를 옭아매는 족속들이니까요."

정파의 사람들은 자신들이 시미외도와 다른 건 공명정대하고 원칙과 정의를 지키며 약속을 저버리지 않는 점에 있다고 생각했다.

특히 명문 정파의 사람들은 더더욱 그러한 생각을 지니고 있었다.

우연히 지나가면서 한 사소한 약속 때문에 목숨을 걸고 싸우기도 하고, 자신의 모든 재산을 내놓기도 했다. 심지어 그 약속을 지키기 위해서 주변 모든 사람을 배신하는 일조차 서슴지 않고 행하기도 했다.

실제로 형산파가 굳이 구파일방에서 스스로 탈퇴한다고 선언한 건, 형산파를 제외한 나머지 팔파일방이 약속을 지키지 않았다고 생각했기 때문이었다.

동료가 위험에 빠지면 도와준다는 약속, 다른 한 문파가 곤경에 처하게 되면 모두 힘을 합쳐서 그 위기에서 벗어나게끔 한다는 무언(無言)의 결의(決意).

그 약속과 결의를 저버린 이상 팔파일방은 더 이상 명문 정파가 아니었다.

여전히 명문 정파인 형산파의 입장에서 자존심을 뭉개가면서까지 그들과 어울릴 필요는 없다는 게 그들의 주장이었고, 바로 그런 이유로 형산파는 스스로 자리를 박차고 뛰어나온 것이었다.

물론 세인들이 보기에는 헛웃음이 나올 정도로 어이가 없는 일이었지만 정작 당사자인 형산파는 어디까지나 진지하고 진심으로 그렇게 생각했다.

그 체면과 자존심과 아집으로 똘똘 뭉쳐 있는 게 형산파의 웃어른들이었다. 그러니 황은탁이 걱정하는 바 그대로 그들이 담우천의 제안을 받아들일 리가 없을 것이다.

담우천은 먼지로 뒤덮인 관도 저편을 바라보면서 입을 열었다.

"그들의 체면과 자존심이 센지, 복수심이 더 강한지 알아보자는 것뿐이야. 그들이 내 제안을 받아들이지 않는다 해도 상관없는 일이지. 어쨌든 내 제안은 그들의 마음에 씨앗으로 남아서 결국에는 싹을 틔우고 열매를 맺을 테니까."

나찰염요는 담우천의 알쏭달쏭한 이야기를 알아들은 듯 천천히 고개를 끄덕이며 말했다.

"그러네요. 확실히 씨를 뿌린다는 게 중요하겠네요. 일의 성사 여부와는 관계없이 말이죠."

"그렇지. 그래서 내가 굳이 형산파를 찾아가려는 게야."

담우천은 차분한 어조로 말을 끝낸 후 곧바로 박차를 가하며 말을 달렸다. 나찰염요가 빙긋 웃으며 그 뒤를 바짝 따라붙었다.

노을이 흐르는 마을이라고 해서 유하촌(流霞村)이라고 했다. 형산 초입(初入)에 자리를 잡은 유하촌은 그 이름답게 아주 아름다운 저녁노을을 구경할 수 있는 곳이었다.

형산뇌검이 서두른 덕분에 담우천 일행은 해가 떨어지기 전에 유하촌에 당도할 수 있었다. 그들은 저녁노을이 가장 잘 보이는 객잔 이 층에 짐을 풀었다.

비록 세상 사람들로부터 비웃음을 당하는 처지의 형산파였지만, 그래도 이곳 유하촌은 그들의 세력권 안이었다. 마을 사람들과 객잔 점소이들까지 형산파 제자들을 공경하지 않는 이들이 없었다.

덕분에 담우천과 나찰염요는 가장 풍광 좋은 곳에 앉아서 해지는 광경을 지켜보며 맛있는 저녁 식사를 할 수 있었다.

식사가 끝난 후 술을 마시던 나찰염요는, 양쪽으로 높은 봉우리가 우뚝 선 가운데 뻥 뚫린 전면으로 천천히 내려앉고 있는 저녁노을을 바라보면서 기분 좋은 미소를 지었다.

“정말 아름다운 풍경이네요. 이 마을 사람들은 좋겠어요. 매일 이 광경을 볼 수 있다니 말이에요.”

그녀의 말에 담우천이 무뚝뚝하게 대꾸했다.

“아무리 좋은 풍경도 매일 보게 되면 심드렁해질 거야. 매일 산해진미를 먹다 보면 결국에는 질리듯이 말이야.”

“그래도 매일 이런 풍경을 보면서 살았으면 좋겠네요.”

나찰염요를 힐끔거리면서 두 사람의 대화를 듣고 있던 황은탁이 불쑥 입을 열었다.

“그럼 이곳으로 이사 오셔도 되지 않을까요?”

“은탁아.”

형산뇌감이 나무라듯 말했다.

“그렇게 함부로 남의 대화에 끼어드는 것 아니다.”

“죄송합니다.”

“아니, 괜찮아요.”

나찰염요가 웃으며 말했다.

“농담이 아니라 이런 곳에서 말년을 보내고 싶어요, 진짜로. 하지만 지금은 해야 할 일들이 많기 때문에…… 아무래도 쉽지 않겠죠?”

황은탁은 홀린 듯한 눈으로 그녀의 달콤한 미소를 바라보다가 형산뇌검이 발을 툭 치자 퍼뜩 정신을 차리며 황급히 고개를 숙였다.

'쯧쯧, 아직도 정신을 차리지 못하는구나.'

형산뇌검은 속으로 혀를 차면서 담우천을 향해 입을 열었다.

"내일은 새벽 일찍 일어나 산을 오를 것이오. 이미 손님을 모셔 왔다는 전갈은 해 두었으니 다들 두 분을 기다리고 계실 것이오."

"알겠소. 술은 적당히 마시리다."

"그럼 내일 뵙겠소."

형산뇌검은 옆자리의 황은탁을 툭 치면서 자리에서 일어났다. 황은탁은 황급히 따라 일어나며 두 손을 모아 인사했다. 그들이 자리를 비운 후 나찰염요가 웃으며 말했다.

"아직 나도 괜찮나 봐요. 이렇게까지 날 봐 주는 청년이 있으니 말이에요."

담우천도 웃으며 말했다.

"그야 당신이 교태를 멈추지 않으니까 그렇지."

"어머나, 그건 당신에게 부리는 교태인걸요?"

나찰염요는 담우천의 어깨에 기대며 속삭이듯 말했다.

"농담이 아니라 나중에 우리, 이런 곳에서 살아요."

담우천인 이미 어두워진 창밖을 바라보며 대답했다.

"당신이 원한다면 어디든지."

그 무뚝뚝한 말에 나찰염요는 더없이 행복한 표정을 지

으며 눈을 감았다. 세상의 모든 것이 그녀와 담우천을 위해 존재하는 것만 같았다.

* * *

형산으로 대표되는 남악(南岳)은 장사의 악록산(岳麓山)에서 형양(衡陽)의 회안봉(回雁峰)까지, 그 경계가 팔백 리에 달하고 칠십이 개의 봉우리를 담고 있는 거대하면서 웅장한 산세를 자랑했다.

그중 형산은 남악의 주봉(主峰)이라 할 수 있는 축융봉(祝融峰)을 중심으로 한 몇 개의 산을 의미했는데, 형산파는 그 축융봉에 자리 잡고 있었다.

어느 산이나 사찰이 없고, 도원이 없는 곳이 없었지만, 남악은 사찰과 도원의 수가 무려 이백 개가 훌쩍 넘었다.

형산에도 크고 작은 사찰과 도원이 있었으며, 축융봉 정상에도 형산파가 터를 잡기 전부터 지어진 도원이 있었다.

그런 연유로 형산파는 축융봉의 산기슭 한쪽에 자리를 잡고 있었는데, 수십 채의 고루전각(高樓殿閣)이 넓은 평지는 물론이거니와 깎아지른 듯한 절벽 곳곳에 아슬아슬하고 우아하게 세워져 있었다.

담우천을 비롯한 네 사람은 새벽같이 일어나 유하촌을

출발했다. 그들은 말을 타고 축융봉의 산비탈을 천천히 올랐다.

길은 갈수록 가팔라졌고 더 이상 말을 타고 가기 어렵다 싶을 무렵, 그들의 앞 기슭 쪽에 덩그러니 세워져 있는 산문이 보였다.

산문 앞에는 서너 명의 사람들이 나와서 서성거리고 있었는데, 그들은 말을 타고 다가오는 담우천 일행을 보고는 황급히 옷매무시를 가다듬었다. 그러고는 검을 빼 들며 합창하듯 큰소리로 외쳤다.

"의기성검극(義氣盛劍極) 형산진천하(衡山震天下)!"

2. 감정(鑑定)

-의기(義氣)를 검 끝에 담으면 형산파는 천하를 위진하리라!

젊은 무사들의 힘찬 함성에 나찰염요는 눈을 동그랗게 떴다. 황은탁이 머쓱한 표정을 지으며 그녀에게 설명했다.

"하급 제자들이 하산했다가 돌아오는 상급 제자를 맞이할 때 외치는 구호 같은 겁니다."

"아, 그런가요? 깜짝 놀랐네요."

"죄송합니다."

황은탁이 의미 모를 사과를 하고 있을 때 형산뇌검이 네 명의 젊은 무사들에게 물었다.

"어르신들은?"

무사들이 공손하게 대답했다.

"어젯밤 유하촌에서의 전갈을 받으시고 곧바로 회의를 여셨습니다. 그리고 오늘 아침 일찍부터 대연궁(大宴宮)에 모이셔서 최 사숙과 황 사숙을 기다리고 계시는 중입니다."

황은탁이 다시 나찰염요에게 소곤거렸다.

"대연궁은 본파의 전석회의(全席會議)가 있거나 귀한 분들을 모실 때, 그리고 대연회(大宴會)를 벌일 때 사용하는 곳입니다."

"아, 그렇군요. 고마워요."

나찰염요가 황은탁을 돌아보며 방긋 웃었다. 황은탁은 얼굴을 붉히고는 황급히 고개를 숙이며 말에서 내렸다.

"두 분 다 여기서부터는 걸어가셔야 합니다. 말을 타고 오르기에는 워낙 가파른 곳이거든요."

그의 말에 나찰염요와 담우천이 동시에 말에서 내렸다.

황은탁은 세 필의 말을 이끌고 산문으로 걸어갔다. 젊

은 무사들이 황급히 달려와 그에게서 말을 건네받고 산문 한쪽 구석진 곳으로 데려갔다.

형산뇌검도 말에서 내린 후 말고삐를 젊은 무사에게 넘긴 후 뒤를 돌아보며 말했다.

"그럼 올라가시죠. 어르신들께서 벌써부터 기다리고 계신다고 하니까요."

그들은 곧바로 산문을 지나 축융봉 가파른 산길을 따라 형산파로 향했다.

산문에서 약 십여 리 정도 오르자 수십 개의 크고 작은 전각들이 시야에 들어왔다.

어떤 건물들은 널찍한 평지에 모여 있었고, 또 어떤 건물들은 허공에 떠 있는 것처럼 아슬아슬한 절벽에 세워져 있었다. 건물 아래로 새하얀 운무(雲霧)가 흐르는 광경은 아름다우면서도 신비로웠다.

담우천은 나지막한 목소리로 중얼거렸다.

"천자산 어필봉이 떠오르는군."

천자산 어필봉에는 무적세가의 본산이 있었다. 그곳 역시 깎아지른 듯한 절벽과 절벽 사이에 고루거각들이 있었다.

무엇보다 적의 침입을 방비하는 데에는 특화된 형태였는데, 이곳 형산파는 그것과는 달리 경치 좋고 시야가 확 트인 곳을 찾다 보니 그렇게 건물들을 세운 듯 보였다.

형산뇌검은 건물들 사이로 난 계단을 따라 올랐다.

축융봉 서쪽에 있는 만월대(滿月臺)로 향하는 길목에 넓은 공터가 있었고, 그 공터에 삼 층 전각이 세워져 있었다.

전각의 현판에는 대연궁이라는 세 글자가 용사비등(龍蛇飛騰)의 글씨로 적혀 있었다.

황은탁이 자랑스럽다는 듯이 나찰염요를 향해 소곤거렸다.

"백이십여 년 전, 당시 황제께서 친필로 적어 주신 현판 중 하나입니다."

"아, 그래요? 대단하네요."

나찰염요는 감탄하는 시늉을 하며 그렇게 말했다.

사실 옛 황제들이 각 명문 정파에 저런 현판이나 편액을 하사하는 건 그리 놀라운 일이 아니었다.

얼마나 많은 황제들이 글씨를 쓰고 현판과 편액을 하사했는지, 심지어 소림사나 무당파의 경우에는 심지어 해우소(解憂所:변소)까지 옛 황제의 글씨가 쓰인 팻말이 있다고 전해질 정도였으니까.

어쨌든 그런 과거의 영광을 자랑하는 것으로 현 상황의 위기를 도피할 수는 없는 노릇이었다.

이윽고 그들은 대현궁 입구에 이르렀다. 미리 연락을 받고 나와 있던 중년의 무사가 담우천과 나찰염요를 향해 부드럽게 웃으며 말했다.

"기다리고 있었소이다. 이렇게 두 분을 뵙게 되어 진심으로 반갑소이다. 지객당(知客堂)의 책임을 맡고 있는 종도운(宗途雲)이라고 하외다."

담우천과 나찰염요도 함께 인사했다.

"나는 담 모라고 하고, 이쪽은 내 내자외다."

"담 대협, 담 부인. 두 분을 환영하오. 그럼 어르신들이 기다리고 계시니 어서 안으로 드시지요."

담우천과 나찰염요는 종도운의 안내를 받으며 대현궁으로 들어섰다. 형산뇌검과 황은탁이 그 뒤를 따랐다.

천 명이 앉을 수 있을 것처럼 넓은 대청에는 이십여 명의 노인들이 자리를 잡고 앉아 있었다. 바로 형산파를 대표하는 장문인과 장로들이었다.

담우천과 나찰염요는 마련된 자리로 이동하여 먼저 손을 모으고 인사했다.

"사천의 담우천이 여러 영웅께 인사드립니다."

사람들이 길게 늘어앉은 중앙의 노인이 인자하게 웃으며 말했다.

"먼 길을 오셨구려. 자, 자리에들 앉으시오."

담우천과 나찰염요가 자리에 앉았다. 종도운과 형산뇌검, 황은탁은 두 사람의 뒤쪽에 시립하듯 우뚝 섰다.

예의 그 백염(白髥)을 가슴까지 드리운 인자한 인상의

노인이 입을 열었다.

"평소라면 이곳에 있는 모든 장로를 일일이 소개해야 마땅하나, 현 상황과 사정이 그러한 만큼 내 소개만으로 끝냅시다. 나는 당대 형산파를 이끄는 모태진(毛泰眞)이라고 하오."

담우천의 눈썹이 희미하게 꿈틀거렸다.

당대 형산파 장문인 모태진.

젊었을 적에는 한 번 검을 휘둘러서 베고 자르지 못하는 게 없다고 하여 일검참절(一劍斬截)이라는 별호로 불렸다.

그리고 나이가 들고 형산파 장문인이 된 후로는 세상 사람들이 존경과 예의를 담아 형산검존(衡山劍尊)이라고 호칭하는 인물이 바로 모태진이었다.

오십이 넘어 장문인이 되었고, 장문인이 된 지 스무 해가 지났으니 어느덧 그의 나이도 일흔 초중반.

하지만 여전히 피부는 탱탱했고 붉었으며 눈빛은 청정(淸淨)하기 이를 데가 없었다. 그 외모만으로 보자면 마치 득도하기 직전의 도사와도 같아 보였다.

―시골 촌부에 불과한 이 사람이 명성 자자하고 고귀하신 형산파 장문인을 뵙게 되어 실로 영광스럽기 그지없습니다.

형산파 장문인 모태진을 직접 본 사람들의 입에서는 대

충 이런 소리가 나올 법한 일이었다.

하지만 담우천은 그렇지 않았다. 그는 여전히 무심한 눈빛으로 모태진을 바라보면서 입을 열었다.

"그럼 본론으로 들어가겠습니다."

장로들이 움찔거렸다.

담우천과 나찰염요의 등 뒤에 서 있던 형산뇌검과 황은탁도 살짝 당황하는 기색이었다.

예법에 따라 몇 마디 더 인사를 주고받은 연후에 웃사람이 먼저 본론을 꺼내는 게 일반 상식이었다. 그러나 담우천은 전혀 그럴 생각이 없는 듯했다.

"전갈을 통해 들으셨는지는 모르겠지만 지금 우리에게 은자 백만 냥 이상의 값어치를 지닌 물건들이 있습니다. 그 물건들을, 조건에 맞는다면 형산파에 기증하고 싶습니다."

역시 장로들이 움찔거렸다.

은자 백만 냥은 입에 쉽게 담을 수 없을 정도의 거금이었다. 조금만 절약한다면 형산파가 최소한 십 년 이상 버티고 살아갈 수 있는 금액이었다.

장로들은 어제 유하촌에서 형산뇌검이 보낸 전갈을 통해 미리 그 사실을 들어 알고 있었다. 그래서 긴급 회의를 열어 밤늦게까지 의견을 나누기도 했다.

하지만 회의는 아무런 성과를 얻지 못한 채 끝나고 말

았다. 당시 장로들 중 절반은 전갈의 내용을 믿지 않았으며, 남은 절반 중 다시 절반에 해당하는 장로들은 담우천의 진위를 의심했다.

그러니 회의가 진행될 리가 없었고 결론이 나올 리가 만무했던 것이다.

"그 물건을 볼 수 있소?"

형산검존은 여전히 인자한 미소를 지은 채 물었다.

그에 담우천은 아무 거리낌 없이 등짐을 풀었다. 그 안에는 이십여 권의 책자와 십여 개의 고화(古畫)가 있었다.

형산검존이 눈짓하자 지객당주 종도운이 조심스레 책자와 고화들을 들고 장로들에게로 향했다.

장로 중 따로 고서화에 조예가 있는 사람들이 있었는지, 서너 명의 무리가 그 책자와 그림을 주의 깊고 세세하게 살피기 시작했다.

얼마의 시간이 흘렀을까.

그 광경을 지켜보고 있는 사람들에게는 삼추(三秋)처럼 지루하고도 오랜 시간이, 하지만 정작 고서화를 감정하는 이들에게는 한없이 짧은 시간이 지났을 때였다.

이윽고 장로들의 입에서 신음과 탄성, 고함과 탄식이 엇갈려 터져 나오기 시작했다.

"으음, 믿을 수 없소. 화풍이나 붓의 움직임을 보건대 이건 북송(北宋) 이원길의 취원도가 확실하군. 확실히 이 그림 한 점만으로도 수십만 냥의 가치가 있소.”

“아아! 이 책은 원말(元末) 주경이 서술한 청루집서의 진본(眞本)이 확실하오! 내가 삼십여 년 전 청루집서의 필사본(筆寫本)을 구하느라 칠만 냥이라는 거금을 썼는데, 오늘에 와서 이렇게 진품을 보게 될 줄이야!”

“믿어지지는 않지만, 이 그림은 남송(南宋) 미우인의 초산추제도가 확실하오.”

“이건 북송의 동파거사(東坡居士) 글이 분명하오. 하기야 동파거사의 글은 아직 세상에 많이 남아 있어서 누구든 그 진위를 쉽게 가릴 수 있을 것이오.”

놀랍게도 화산파 장로들의 입에서는 당송원(唐宋元) 시대에서 으뜸간다 할 수 있는 서예가와 화가, 극작가의 이름들이 쉴 새 없이 흘러나왔다.

그들이 남긴 고서화 중 한 점에 수만 냥의 가치를 지닌 작품에서 부르는 게 값인 작품도 있었으니, 은자 백만 냥이라는 담우천의 말은 그 가치를 최소화해서 말한 금액이라 할 수 있었다.

3. 열 명이면 어떻소?

이윽고 고서화의 모든 감정이 끝났다.

장로들은 고서화들을 조심스럽게 등짐에 싸서 담우천에게 돌려주었다. 몇몇 이들은 아쉽고 안타까운 눈빛으로 고서화들을 바라보았다.

그렇게 정리가 끝난 후, 고서화들을 감정했던 장로 중 한 명이 자리에서 일어나 형산파 장문인 형산검존을 바라보며 입을 열었다.

"확실히 담 대협의 고서화들은 백만 냥 이상의 가치를 지니고 있습니다. 보다 좋은 상대를 만난다면 그 두 배까지도 받을 수 있을 겁니다."

"으음."

"허어."

지켜보고 있던 장로들이 저도 모르게 신음을 흘리거나 탄식했다.

담우천은 등짐을 탁자 위에 놓은 다음 형산검존을 바라보며 입을 열었다.

"조건을 말씀드리겠습니다. 그 조건을 들어주신다면 이 고서화들을 형산파에 기증하겠습니다."

형산검존은 아무 말이 없었다. 장로들은 애가 타는 눈빛으로 담우천과 형산검존을 번갈아 바라보았다. 담우천은 형산검존에게서 시선을 떼지 않은 채 천천히 말을 이어 나갔다.

"우리 조건은 간단합니다. 한 사람당 일만 냥의 가격으로 형산파 상급 제자 백 명의 무력을 빌리고자 합니다. 그것도 단 한 번, 우리가 필요할 때 딱 한 번만 그 백 명을 빌려주시면 됩니다."

"으음."

"허어."

이번에도 아까와 비슷한 신음과 탄식이 장로들 사이에서 흘러나왔다.

지금 담우천이 내건 조건은 어젯밤 유하촌에서 날아온 전서구를 통해 익히 알고 있는 내용이었다. 형산검존이 긴급 회의를 열어 장로들끼리 치열한 논쟁을 했지만 결국 아무 결론을 내지 못하고 마무리가 된 내용이기도 했다.

지금도 장로들의 표정은 각양각색이었다.

최소 은자 백만 냥. 십 년 이상 형산파가 먹고살 수 있는 거액이었다. 재정 상태가 극도로 악화된 형산파의 입장에서는 그야말로 가뭄의 비였다.

하지만 그 백만 냥을 얻기 위해서는 제자들의 목숨을 담보로 내놓아야 했다.

백 명의 무력을 원한다는 건, 다시 말해서 그 백 명의 제자들을 전투에 투입시키겠다는 의미였다.

비록 딱 한 번이라는 전제를 하기는 했지만, 그 전투 와중에 얼마나 많은 제자가 죽거나 다칠지는 아무도 몰랐다.

아니, 무엇보다 누구와 싸우게 될 전투인지 얼마나 강한 자들과 맞서야 하는지 전혀 알지 못하는 상황이었으니, 그 결론이 쉽게 나지 않는 건 너무나도 당연한 일이었으리라.

그때였다.

때마침 형산검존이 장로들의 의문을 대신하듯 천천히 입을 열었다.

"그 제안을 받아들이기 전에 한 가지 묻고 싶은 게 있소. 우리 아이들의 무력을 빌리겠다는 건 어딘가에서 벌어질지 모르는 전장에 투입하겠다는 의미일 터. 누구와 싸우게 되는지, 그리고 언제 싸우게 되는지부터 알고 싶구려."

담우천은 침착하게 말했다.

"언제 싸우게 될지는 나도 잘 모릅니다."

장로들이 살짝 웅성거렸다. 담우천의 말이 계속해서 이어지자 이내 그 웅성거림은 사라졌다.

"물론 누구와 싸우게 될지는 알고 있습니다. 하지만 지금 당장 그 상대를 밝힐 수는 없습니다. 형산파가 우리의 제안을 받아들인다면 그때 말씀드리겠습니다."

"그런 불공평한 제안이 어디 있소!"

장로 중 한 명이 도저히 참지 못하겠다는 듯이 소리쳤다.

그러자 담우천은 여전히 형산검존을 바라보며 말했다.

"불공평하지만, 어쨌든 최소 은자 백만 냥입니다. 우리가 그 거금을 내놓은 만큼 형산파도 그 정도의 불공평함은 받아들여야 하지 않을까 싶습니다."

장로들이 다시 웅성거렸지만 형산검존은 표정 하나 바뀌지 않은 채 담담하게 물었다.

"조금 전부터 담 대협은 우리, 우리라고 말씀하시는데, 그 우리라는 게 두 분을 지칭하는 건 아닌 것 같소이다만……."

예리한 질문이었다. 담우천은 잠시 생각하다가 대답했다.

"우리는 조금 전에 말씀드렸던 '누구'와 싸우기 위해 모인 다섯 명의 의형제를 뜻합니다."

형산검존은 가만히 담우천을 지켜보다가 불쑥 물었다.

"그럼 다른 네 명의 의형제도 담 대협만큼 강하오?"

"그렇습니다."

"으음."

처음으로 형산검존의 표정이 살짝 변하고 동시에 그의 입에서는 신음이 흘러나왔다. 장로들은 영문을 모르겠다는 듯 고개를 갸웃거렸다.

형산검존은 길게 한숨을 쉬며 중얼거리듯 말했다.

"우리의 힘을 빌리겠다는 건, 곧 담 대협과 같은 절정의 고수 다섯 명이 맞서 싸워도 승리를 장담할 수 없는 적이라는 뜻이겠구려.”

“그렇습니다.”

“당금 무림에 아무리 많은 문회방파가 있다 하더라도 그 정도의 강적은 몇 되지 않을 터. 결국 그 적이라고 하는 자들은 공적오마나 태극천맹, 아니면 오대가문 정도 되겠구려.”

“으음.”

“세상에!”

다시 장로들의 입에서 신음과 탄성이 흘러나왔다. 웅성거림이 조금 더 커졌지만, 담우천은 여전히 무심하고 평온한 눈빛으로 형산검존을 바라보며 대답했다.

“우리의 제안을 받아들일 때까지는 말씀드릴 수 없습니다.”

형산검존은 말없이 담우천을 바라보았고, 담우천 또한 더 이상 입을 열지 않은 채 형산검존의 시선을 피하지 않았다.

형산검존은 여전히 인자한 미소를 입가에 띠고 있었지만 내심 크게 당황하고 놀란 상황이었다.

‘내 십성(十成) 대라신공(大羅神功)이 실린 눈빛을 마주하고도 눈 하나 깜빡이지 않을 줄이야.’

처음 담우천이 대연궁에 발을 디뎌 놓을 때부터 형산검존의 심장은 두근거리고 호흡은 턱 막혔다.

담우천은 일부러 자신의 무위나 실력을 내보이려 하지 않았다. 그저 천천히 걸어와서 대청 중앙에 마련된 자리에 앉았을 뿐이었다.

하지만 고수는 고수를 알아보는 법이었다.

그 평범한 걸음걸이, 움직임, 자세만으로 형산검존은 이 담우천이라는 자가 절정의 고수라는 사실을 직감할 수 있었다. 그가 지금껏 살아오면서 담우천처럼 강렬하고 엄청난 투기를 갈무리한 자를 만난 건 몇 번 되지 않았다.

형산검존은 그가 얼마나 강한 고수인지 확인해 보고 싶었다. 그래서 일부러 자신이 평생 동안 쌓아 온 십성의 내공을 담아 담우천을 바라보았다.

그 강렬하고 날카로운 시선은 거의 무형살(無形殺)의 수법과 비슷해서 어지간한 이들은 감히 쳐다보지 못하고 황급히 고개를 돌려야만 했다.

스스로 내공이 강하다고 자신만만하게 버티려던 자들은 눈이 타들어 갈 것 같은 고통과 심장을 망치로 내리친 듯한 타격을 입고 심지어 피까지 토하는 경우도 있었다.

그러나 담우천은 별다른 충격을 느끼지 못한 듯 태연한 얼굴로 형산검존의 그 내공 가득 담긴 눈빛을 마주 보고 있었다.

형산검존과는 달리 일반 장로들은 담우천의 무위가 어

느 정도인지 모르는 듯했다.

물론 그들 또한 고강한 내력을 지닌 고수들, 당연히 담우천이나 나찰염요가 상당한 수준의 고수임은 알고 있었다. 하지만 그 수준이라는 게 어느 정도인지는 전혀 감을 잡지 못한 모양이었다.

그런 까닭에 장로들은 형산검존의 말을 제대로 이해하지 못했다.

"담 대협과 같은 절정의 고수라니, 도대체 장문인께서는 저자를 얼마나 높이 평가하고 계시는 게지?"

"공적오마나, 태극천맹, 오대가문의 이름이 왜 여기서 나오는 게야? 세상에 그 누가 저들과 싸울 수 있다고 말이지."

장로들은 그런 대화를 나누거나 혹은 중얼거렸다.

조금은 황당하고, 심지어 불쾌하다는 표정까지 짓든 장로들의 웅성거림 속에서 형산검존은 천천히 입을 열었다.

"하루의 시간을 줄 수 있겠소?"

조금 더 상의하고 논의해서 결론을 내겠다는 의미일 게다.

"하루라면 괜찮습니다."

담우천은 고개를 끄덕였다. 형산검존도 고개를 끄덕이고는 지객당주 등을 둘러보며 말했다.

"두 분을 교우당(交友堂)으로 모셔라."

지객당주와 형산뇌검, 황은탁 등이 담우천과 나찰염요를 안내하여 대연궁을 빠져나갔다. 대연궁의 문이 둔중한 소리를 내며 굳게 닫히자마자 장로들이 기다렸다는 듯이 앞다퉈 입을 열었다.

"이 제안을 받아들이시면 안 됩니다!"

"아무리 우리가 재정 압박을 받는 상황이라 할지언정 근본도 모르는 자들의 농간에 휘말릴 수는 없습니다."

"수백 년 역사를 통틀어 본 파 제자들의 목숨을 담보로 돈을 빌리는 일은 단 한 번도 없었습니다. 그런 제안을 받았다는 것 자체가 명문 형산파에 대한 모독입니다."

대부분의 장로들은 그렇게 주장하며 흥분했다. 물론 모든 장로가 반대하는 건 아니었다.

비록 그 수는 상당히 적지만 그래도 현 상황에서 은자 백만 냥 이상의 고서화는 큰 도움이 될 게 분명하다고 주장하는 이들도 있었다.

"최소 백만 냥에서 최대 이백만 냥입니다. 그 거액이면 본 파의 재정이 확실히 좋아집니다."

"물론 담우천이라는 자의 제의가 수상쩍은 면이 있는 건 확실합니다만, 어디까지나 단 한 번의 도움을 요청하는 게 아니겠습니까? 그 정도라면 우리가 심사숙고해 볼 가치가 있다고 생각합니다."

그들의 주장에 다른 장로들이 잔뜩 흥분하여 소리쳤다.

"아니, 그게 말이나 될 법하오? 아무리 돈이 중하다고 하지만 우리 제자들의 목숨이 걸린 일이오."

"게다가 만에 하나, 저 담우천이라는 자가 구파일방과 싸우라고 한다면? 태극천맹이나 오대가문과 싸우라고 한다면 그때는 어찌하겠소?"

"우리는 저잣거리의 불한당들이 아니오. 명색이 구파일방의 한자리를 차지하고 있던 명문 정파가 바로 우리 형산파임을 명심하시오."

반론도 격해졌다.

"구파일방 이야기는 꺼내지 않는 게 좋을 것 같소. 우리는 그들을 맹우라고 생각했지만, 정작 우리가 어려운 상황에 봉착했을 때 그들이 도움을 준 건 하나도 없으니까."

"나라면 외려 오대가문이나 태극천맹과 싸우는 걸 환영하오! 놈들이 우리를 어찌 대했는지 벌써 잊었단 말이오? 그 수모를 벌써 잊었단 말이오?"

"그렇소! 나는 아직도 그들의 비웃음과 조롱에 가득 찬 미소를 기억하고 있소! 다른 분들이야 이곳에서 편히 쉬고 있었으니 잘 모르겠지만, 당시 그들에게 도움을 청하러 갔던 나는 그때 들었던 그들의 비아냥거리는 목소리를 전혀 잊을 수가 없단 말이오!"

"그 말씀 취소하시오! 누가 이곳에서 편히 쉬고 있었다고 그러시오?"

"옳소! 외려 이곳에 남아 있는 게 얼마나 마음 졸이고 답답하며 초조한 일인지 직접 경험해 보셨어야 했소!"

장로들의 격론이 심해지면서 점점 과거의 일로 이야기가 번져 갔다. 그들의 언성이 높아지자 형산검존이 가볍게 헛기침을 했다.

일순 언제 떠들었냐는 듯이 장로들은 하나같이 입을 다물었다.

순식간에 대연궁 대청이 조용해졌다. 다른 어느 문파보다도 훨씬 더 장문인에 대한 공경과 예의를 지키는 듯한 광경이었다.

형산검존은 팔짱을 끼고 눈을 지그시 감은 채 한동안 입을 열지 않았다. 그의 표정은 심각했으며 얼굴빛은 새하얗게 변해서 얼마나 깊은 고뇌를 하고 있는지 충분히 엿볼 수가 있었다.

장로들은 그의 눈치를 살피며 나지막한 소리로 수군거렸다.

여전히 의견은 충돌하고 하나로 일치하지 않았다. 백 명의 제자를 돈에 팔 수는 없다는 장로들과 백 명을 희생

해서 이천 명을 구해야 한다는 장로들의 주장은 계속해서 날카롭게 부딪치기만 했다.

식은땀까지 흘리면서 한참을 고민하던 형산검존이 문득 입을 열었다. 그의 입에서 한숨처럼 처연한, 하지만 결연하고 비장한 기색까지 스며든 목소리가 흘러나왔다.

"열 명이면 어떻소?"

그의 생뚱맞은 질문에 장로들의 눈이 휘둥그레졌다.

9장.

신검합일(身劍合一)

"돈이라면, 허허. 뭐 설마 산 입에 거미줄 치겠소?
칠백의 제자와 천삼백 명의 식솔들이 산나물을 캐고 산짐승을 잡고
물고기를 낚으면 먹고사는 데야 지장이 없지 않겠소?"

신검합일(身劍合一)

1. 역제안

형산파에는 손님을 접대하고 머물게 하는 숙소가 세 곳이 있었다.

화우당(話友堂)은 가장 하급의 숙소로, 처음 만나는 손님이나 일반 향화객(香火客)이 아닌, 제법 적지 않은 자금을 후원하는 이들이 묵는 곳이었다.

그 위 단계가 교우당이었다. 교우당은 강호의 지인, 동도들이 찾아왔을 때 묵는 곳으로, 세 곳의 숙소 중 가장 전망이 좋고 경치가 좋은 자리에 세워져 있었다.

맨 위 단계의 숙소는 영우당(永友堂)이라고 해서, 오랜 벗이나 구파일방 같은 맹우들이 묵는 곳이었다.

그러니 형산검존이 담우천과 나찰염요를 교우당에 머물게 한 건 오랜 벗까지는 아니더라도 상당히 중요한 손님이라는 걸 의미하는 것이었다.

"그럼 편히 쉬십시오."

안내를 맡았던 지객당주 종도운이 물러갔다.

"괜찮네요."

나찰염요는 객청을 둘러보며 고개를 끄덕였다.

고풍스러운 가구나 장식들이 모나지 않고 너무 화려하지도 않게 배치된 것이, 이 형산파의 미적 감각이 어느 정도인지 충분히 알 수 있었다.

"바깥 경치도 좋고."

창밖으로는 수백 수천 개의 별이 떠 있는 밤하늘이 보였다. 그 밑으로는 깊은 해저(海底)와 같은 어둠이 내려앉아 있었다. 아마도 날이 밝으면 깎아지른 듯한 절벽과 사방이 탁 트인 풍광을 볼 수 있을 것이리라.

담우천은 차탁에 앉아서, 미리 준비된 차를 따라 마셨다. 잠시 객청을 둘러보던 나찰염요가 맞은편 차탁에 앉으며 궁금하다는 듯이 입을 열었다.

"과연 그 제안을 받아들일까요?"

"글쎄."

담우천은 무뚝뚝하게 대꾸했다.

"아무래도 쉽게 받아들이기 힘들겠지. 무엇보다 언제,

누구와 싸우느냐 하는 걸 모르는 이상에는 말이야."

"쉽게 받아들이기 힘들다면 결국에는 받아들일 수밖에 없다는 뜻도 될 것 같은데요?"

"아무래도 그럴 수밖에 없을 거다. 어쨌든 재정 악화가 상당히 큰 것 같으니까. 형산파가 지금 얼마나 돈에 쪼들리는지는 이곳 객청만 봐도 충분히 알 수 있는 일이고."

담우천의 말에 나찰염요는 새삼스레 객청을 둘러보았다. 조금 더 세세하고 세밀하게 둘러보자니 확실히 아까와는 다른 분위기를 감지할 수 있었다.

"그렇군요. 확실히 값나가는 물건들은 전혀 찾아볼 수가 없네요."

나찰염요는 고개를 끄덕이며 입을 열었다.

"원래 액자가 걸려 있던 자리들이 텅 빈 것도 그렇고…… 나름대로 고풍스러운 물건들은 제법 있지만, 다들 가격을 따지자면 얼마 되지 않을 것 같은 물건들이에요."

"그렇지. 돈 좀 되겠다 싶은 것들은 이미 다 팔았을 테니까."

"고서화에 대한 그들의 감정 실력이 뛰어난 것도 그런 이유에서일까요?"

"뭐, 그렇게까지는…… 애당초 고서화를 좋아하던 사람들이었겠지."

"그런가요?"

나찰염요는 담우천의 빈 찻잔에 차를 따르면서 화제를 바꾸었다.

"그럼 이제 형산파 측에서 어떻게 나올 것 같으세요?"

"그야 모르지."

담우천은 무심한 이조로 말했다.

"하지만 만약 내가 형산파 장문인이라면 역제안을 할 것 같다."

"역제안이요?"

"이런 거지. 가령 백 명의 목숨은 너무 많으니 그 수를 줄여서 열 명 정도면 어떠냐 하는."

"헤에? 그건 우리가 너무 손해잖아요?"

"대신 그들을 언제든지 부릴 수 있도록 해 주겠다, 뭐 이 정도의 제안을 할 것 같다."

나찰염요는 뜨거운 김과 부드럽고 달콤한 향이 모락모락 피어오르는 차를 한 모금 마신 후, 마음에 든다는 듯 가볍게 고개를 끄덕이고는 다시 입을 열었다.

"그러니까 그 열 명에 대한 생사여탈권을 우리에게 주겠다? 노예처럼 부리고 하인처럼 굴려도 상관하지 않겠다?"

"그렇지."

"으음. 그건 또 너무 치욕스러운 일이 아닐까요? 그래도 명색이 역사가 유구한 명문 정파인 형산파인데, 자신들의 제자를 그렇게 빌려줬다가는…….”

“파문을 시키면 돼.”

담우천은 차분한 어조로 아무렇지 않다는 듯이 말했다.

“인연을 끊고 더 이상 형산파의 제자가 아니다, 하고 내쫓는 게지. 그걸 우리가 거둬들이고.”

“하아.”

나찰염요가 눈을 동그랗게 뜨고 한숨을 내쉬었다. 담우천은 차를 한 모금 마신 후 담담하게 말을 이어 나갔다.

“뭐, 나라면 그렇게 한다는 게다. 형산검존이나 형산파가 어떻게 할지는 모르는 일이지. 또 설령 형산검존이 그리 생각한다 하더라도 다른 이들의 반발을 어찌 누를 수 있을까 하는 부분도 있고.”

나찰염요는 잠시 생각하다가 다시 물었다.

“그럼 형산파가 그런 역제안을 들고 나오면 받아들이실 건가요?”

“물론이다.”

담우천은 망설이지 않고 대답했다.

“애당초 백 명은 기대하지도 않았으니까.”

“네?”

나찰염요의 눈이 커졌다. 담우천이 계속해서 말했다.

"아무리 형산파의 재정이 악화했다고는 하지만, 불과 오 년 전까지만 하더라도 구파일방의 한 축을 담당하던 명문 정파다. 그들의 자존심과 체면은 여전할 것이고, 돈에 제자를 판다는 건 상상조차 하지 못할 거야. 그러니 당연히 백 명을 빌려 달라는 건 말도 안 되는 제안인 게지."

"하지만 그걸 알면서도 당신은 백 명을 빌려 달라고 하셨잖아요?"

"그래. 내가 그 말을 함으로써 어쨌든 상상조차 하지 못했던 일을 상상이라도 하게 만들 수 있었으니까."

"아!"

나찰염요는 그제야 담우천의 의중을 파악할 수 있었다.

애당초 '백만 냥을 기부할 테니 백 명의 제자를 빌려 달라.'라는 말조차 의미심장했다.

담우천은 '돈으로 제자를 산다'라는 생각을 최소화하려고 일부러 '기부'라는 단어를 사용했으며 또한 제자를 '빌려 달라'고 이야기했다.

그리고 백 명이라는 숫자를 더욱 강조함으로써 형산파에서 빌려 달라는 말보다 그 숫자에 신경을 쓰게끔 했다.

"만일 내일 형산파의 역제안이 없으면 그때는 내가 그렇게 제안을 할 거다. 백 명을 한 번 빌리는 대신 열 명을 파문시켜 내게 달라고 말이지."

담우천은 이미 모든 걸 생각해 두었다는 듯이 말을 이었다.

"그러면 장로들은 혼란에 빠질 것이고, 고민을 거듭하게 될 게다. 돈에 제자를 판다는 생각은 잊고 백 명을 한 번 빌려주는 게 나은지, 열 명을 파문시키는 게 나은지에 대해서 갈등할 것이다. 그리고 결국 열 명을 파문시키는 쪽으로 결론이 나겠지. 아무래도 백 명이라는 수보다는 열 명이 훨씬 덜 충격적일 테니까."

"그렇군요."

나찰염요는 고개를 끄덕이며 말했다.

"어쨌든 내일 결과가 나오겠네요. 하지만 만약 형산파가 백 명이든 열 명이든 우리의 모든 제안을 거절한다면……."

"그때는 다시 조 영감을 찾아서 악양부로 가야겠지."

담우천은 간단하다는 투로 대꾸했다. 나찰염요가 싱긋 웃으며 고개를 끄덕였다.

"그래요. 그럼 되겠네요."

* * *

밤이 깊었다.

칠흑 같은 어둠이 내려앉은 가운데 사위는 죽은 듯이

고요했다. 담우천과 나찰염요는 물론, 축융봉의 만물이 모두 깊이 잠들어 있었다.

한차례 바람이 일었다. 굳게 잠겨 있는 객청 문이 마치 바람에 떠밀리듯 조심스레 열렸다.

삐거덕거리는 소리도 들리지 않았다. 누군가 그 문을 통해 객청으로 들어서는 기척도 전혀 없었다.

그럼에도 불구하고 어느 순간 객청에는 세 명의 복면인들이 모습을 드러냈다.

그 복면인들은 교우당 객청의 구조에 대해서 매우 잘 알고 있는 것처럼, 사물이 전혀 보이지 않는 어두운 공간 속에서 아무런 소음도 없이 자유자재로 활동했다.

그들은 객청을 돌아다니며 무언가를 찾기 시작했다. 잠시 시간이 흐르고, 찾는 것이 객청에 없다는 걸 확인한 그들은 천천히 복도를 따라 담우천과 나찰염요가 잠자고 있는 방으로 걸음을 옮겼다.

그들의 움직임은 매우 은밀하고 고요하며 매끄러워서 그 어떤 소리도 전혀 들리지 않았다.

방문 앞에 당도한 그들은 가볍게 호흡을 가다듬은 뒤 조심스레 문을 열었다.

장막이 드리워진 창문 사이로 은은한 달빛이 방 안으로 스며들고 있었다. 깊게 잠든 담우천과 나찰염요의 얼굴이 그 달빛 아래 희미하게 드러났다.

방 안에 들어선 복면인들은 즉각 행동에 나섰다. 한 명의 복면인이 전면에 서서 담우천과 나찰염요를 주시하는 가운데 다른 두 명의 복면인들이 방 곳곳을 뒤졌다.

하지만 방 전체를 수색해도 그들이 찾는 물건은 보이지 않았다. 복면인들은 서로 난감한 눈빛을 교차하더니 결국 침상 쪽으로 걸음을 옮겼다.

그때였다.

"으음."

갑자기 나찰염요가 신음을 하며 몸을 뒤척였다. 복면인들이 깜짝 놀라며 황급히 검을 빼 들었다.

스윽.

검집을 스치며 검날이 빠지는 소리가 뱀이 혀를 놀리는 듯한 소리처럼 들렸다.

하지만 정작 나찰염요는 이불을 끌어안고 모로 누운 채 여전히 새근거리며 잠들어 있었다.

이불 밖으로 그녀의 반신이 드러났다. 한껏 올라간 치마 사이로 흐벅진 허벅지와 늘씬하게 빠진 종아리, 그리고 잘록한 발목과 새하얗고 조그만 발이 고스란히 내보였다.

꿀꺽,

그 아름답고 어지러울 정도로 뇌쇄적인 몸매에 복면인 중 누군가가 저도 모르게 마른침을 꿀꺽 삼켰다. 그 침

삼키는 소리에 복면인들은 퍼뜩 정신을 차리고 나찰염요와 담우천의 기척을 살폈다.

두 사람 모두 잠에서 깬 기척은 찾을 수가 없었다. 복면인들은 안도의 한숨을 내쉬는 한편 검을 들어 두 사람을 겨눈 채 천천히 나찰염요가 껴안고 있는 이불을 걷어내고자 했다.

바로 그 순간이었다.

"그 정도로 만족하지그래."

잠들어 있는 줄로만 알았던 담우천의 입에서 묵직한 저음이 흘러나왔다.

검을 겨누고 있던 복면인 중 하나가 화들짝 놀라며 엉겁결에 그대로 담우천의 심장을 향해 검을 찔러 갔다. 복면인의 검이 눈에 보이지 않을 정도로 빠르게 움직였다.

"안 돼!"

복면인 중 누군가 소리쳤지만 때는 늦었다.

이미 복면인의 검은 정확하게 담우천의 심장을 꿰뚫었다 싶었다. 하지만 그의 검은 거짓말처럼 담우천의 손가락에 잡혀서 움직이지 않았다.

일순 복면인은 놀라고 당황하여 눈을 휘둥그레 뜨는 순간, 담우천이 검날을 쥔 손가락에 힘을 주자 챙! 소리와 함께 검날이 부러졌다.

"다짜고짜 검을 날리다니, 이게 형산파의 손님 접대 방

식인가?"

담우천이 그렇게 물으며 천천히 몸을 일으켜 앉았다. 깜짝 놀란 복면인들이 황급히 뒤로 물러나며 자세를 취했다.

담우천은 나찰염요에게 제 이불을 덮어 주면서 전면을 둘러보았다. 그러고는 빙긋 웃으며 중얼거렸다.

"그래도 나름대로 실력이 있는 고수들만 몰려왔군그래. 형산파에도 제법 사람들이 있나 보군."

그러자 복면인 중 한 명이 으르렁거리듯 말했다.

"누가 형산파 사람이라고 그러느냐?"

애써 목소리를 감추려는 듯 변성(變聲)을 하기는 했지만 그래도 나이 든 티를 속일 수 없는 음성이었다.

담우천이 고개를 갸웃거렸다.

"그럼 형산파 사람이 아닌 자들이 구중심처(九重深處)라 할 수 있는 이곳까지 쳐들어왔음에도, 그걸 모를 정도로 형산파가 형편없고 허술한 곳이라고 해야 하나?"

그 말에 복면인들은 꿀 먹은 벙어리가 된 채 서로를 돌아보았다. 다시 그중 한 명이 낮은 쇳소리를 내며 말했다.

"목숨을 잃기 싫으면 등짐을 내놔라."

담우천은 그 복면인을 바라보며 물었다.

"누가 보냈느냐?"

복면인이 대꾸하지 않자 담우천이 계속해서 물었다.

"장문인이 보냈느냐? 아니면 장로들이 보낸 게냐? 아니지. 일반 제자들의 실력은 아닌 것 같으니 아무래도 장로들이 직접 찾아온 모양이로군. 음? 그것도 아닌가?"

담우천은 고개를 갸웃거리며 말했다.

"장로들도 일반 장로가 아니라 다섯 손가락 안에 꼽히는 실력을 지닌 장로들인 것 같군그래. 어쨌든 내 이목을 속인 채 방 안까지 들어올 정도의 실력이니 말이지."

아닌 게 아니라 복면인들의 무위는 절대 평범하지 않았다. 담우천은 복면인들이 방 안으로 들어설 때까지 그들의 기척을 눈치채지 못한 채 깊은 잠에 빠져 있었다.

만약 복면인 중 누군가가 나찰염요의 허벅지를 보고 침을 꿀꺽 삼키지 않았더라면, 이렇게 쉽게 복면인들의 기척을 눈치채지 못했을 것이다.

복면인이 드디어 대답했다.

"우리는 형산파와 아무런 관계가 없다."

"어머나, 말이 되는 소리를 하셔야지."

갑자기 나찰염요가 웃으며 말했다. 복면인들이 다시 한번 움찔거리며 한 걸음 뒤로 물러났다.

나찰염요는 방금 잠에서 깬 듯 늘어지게 기지개를 하며 몸을 일으켜 앉았다. 그 바람에 그녀를 덮고 있던 이불이 내려가며 늘씬하고 매혹적인 팔과 어깨, 쇄골이 고스란히 드러났다.

복면 사이로 드러나 있던 눈들이 커졌다. 나찰염요의 풍만한 젖가슴이 얇은 속옷 사이로 고스란히 내비쳤기 때문이었다.

복면인들의 시선을 느꼈을까.

나찰염요는 "어머나!" 하면서 두 손으로 가슴을 가리고 살짝 허리를 비틀었다.

하지만 그렇게 허리를 반쯤 비튼 모습이 더욱더 매혹적이고 요염해서 복면인들은 그녀에게서 시선을 떼지 못했다.

"좋아."

그때 들려오는 담우천의 말이 복면인들의 상념을 깨웠다.

"형산파 사람들이 아니라고 했으니, 내가 살계를 열어 이 방에 침입한 도적들을 모두 죽여도 상관없으렷다."

담우천은 천천히 침상에서 내려왔다.

그는 침상 머리맡에 벗어 두었던 검을 천천히 집어 들었다. 그리고 검의 손에 쥐어지는 순간, 갑자기 그의 전신에서 가공할 살기가 뿜어져 나왔다.

복면인들은 절로 긴장했다. 그들 또한 상당한 무위를 지닌 고수들, 담우천이 뿜어내는 살기가 얼마나 대단한 것인지 모를 리가 없었다.

'고수다, 그것도 엄청난 절정 고수!'

'왜 장문인께서 그리 말씀하셨는지 이제야 알겠구나!'

'허어, 이것 참. 아무래도 우리가 너무 쉽게 생각한 모양이로구나.'

복면인들의 눈가에 낭패의 빛이 스며들었다.

조금 전 가벼운 손놀림으로 검날을 잡고 부러뜨리는 한 수나, 지금의 폭발할 것 같은 살기를 본 후에야 비로소 복면인들은 이 담우천이라는 자가 얼마나 고강한 실력을 지녔는지 절감할 수가 있었다.

아울러 장문인의 말이 결코 과장이나 허언이 아니었음을 그제야 알게 된 것이다.

2. 내기

"열 명이라니, 그게 무슨 말씀이십니까?"

"조금 더 정확한 설명이 필요합니다, 장문인."

장로들이 앞다투어 물었다.

형산검존은 아무래도 마땅치 않다는 듯이, 혹은 이것도 아니라는 듯이 고개를 흔들거나 한숨을 쉬며 고민했다.

그의 한숨 소리에는 처절함과 처연함, 애잔함이 있었다. 더는 어찌해 볼 수 없다는 무력감과 거기에서 오는 분노까지 그 한숨 속에 뒤섞여 있었다.

그러던 중 눈치 빠른 장로 하나가 "설마?" 하면서 탄성을 흘렸다. 다른 장로들의 시선이 모두 그 장로에게로 향했다.

형산파에는 무위가 절정에 달한 장로들 중에서도 특별히 그 실력이 뛰어난 세 명의 장로가 있어서, 그들을 따로 형산삼로(衡山三老)라 하였다.

지금 탄성을 흘린 장로는 그 형산삼로 중 한 명이자, 형산뇌검 최대종의 부친이기도 한 형산은검(衡山隱劍) 최대필(崔大必)이라는 자였다.

육십 대 중후반으로 보이는 형산은검은 날카로운 눈빛으로 장문인을 바라보며 입을 열었다.

"설마 장문인께서는 열 명의 제자를 내치는 것으로 백 명을 빌려 달라는 제안을 대신하려는 것입니까?"

형산검존은 입술을 깨물며 망설이다가 결국 한숨을 토해 내듯 대답했다.

"그렇소."

장로들이 서로를 돌아보며 웅성거렸다. 여전히 그들은 두 사람의 대화가 무슨 뜻인지 정확하게 이해하지 못한 듯했다.

형산은검이 재차 물었다.

"장문인께서는 역사 유구한 명문 정파인 형산파가 그

런 만행을 저질러도 괜찮다고 생각하십니까?"

"으음."

형산검존은 형산은검의 질문이 아프다는 듯 두 눈을 질끈 감으며 신음을 흘렸다. 형산은검은 그를 잠시 노려보다가 장로들을 둘러보며 말을 이었다.

"지금 우리의 장문 사형께서는 백 명의 목숨을 한 번 빌려주는 것보다 열 명의 목숨을 아예 내주는 게 낫다고 판단하고 계시오."

"아니, 그게 도대체 무슨 말씀이시오? 이해하기 쉽게 제대로 설명해 주시오."

"설마하니 열 명의 제자를 저 담우천이라는 자에게 팔아 넘기겠다는 뜻은 아닐 테고."

"바로 그것이오!"

장로들이 떠들어 댈 때 형산은검이 크게 고개를 끄덕이며 말을 받았다.

"장문인께서는 아마도 열 명의 제자를 파문시킨 후 그들의 생사여탈을 담우천이라는 자에게 맡길 작정이신가 보오. 그렇게 되면 그 열 명의 제자가 어찌 되든 간에 우리 형산파와는 아무런 관련이 없게 되니까 말이오."

"허어!"

"이런……."

"그건 있을 수 없는 일이오!"

장로들이 아우성을 치는 가운데 한 장로가 일어서며 입을 열었다.

"나는 장문인의 뜻이 이해되오."

사람들의 시선이 그에게로 향했다. 육십 대 초중반으로 보이는 노인 또한 형산삼로 중 한 명인 형산검옹(衡山劍翁)이라는 인물이었다.

형산검옹은 턱수염을 쓰다듬으며 말했다.

"물론 감정적으로나 인정을 따지자면야 쉽게 납득할 수 없는 해결책인 게 분명하오. 하지만 조금 더 냉정하고 이성적으로 생각하면 한 사람당 최소 십만 냥의 대가를 받을 수가 있는 일이오."

"그건 아니오!"

"사람의 목숨을 어찌 돈으로 환산할 수 있단 말입니까!"

장로들이 반발했다.

"그럼 이대로 회의를 끝내시든가."

하지만 형산검옹은 침착하게 말을 이었다.

"사람 목숨이 돈보다 중하다고들 하니 더 이상 담우천이라는 자의 제안에 대해서 논의할 이유가 없지 않겠소? 이대로 회의를 끝내고 내일 저 두 사람에게 불가(不可) 통보를 하면 되오. 간단하지 않소? 돈이라면, 허허. 뭐 설마 산 입에 거미줄 치겠소? 칠백의 제자와 천삼백 명의 식솔들이 산나물을 캐고 산짐승을 잡고 물고기를 낚으면 먹고사는 데야 지장이 없지 않겠소?"

형산검옹의 말에 장로들은 하나둘씩 입을 다물었다.

문제는 돈이었다.

사람 목숨을 어찌 돈으로 환산할 수 있겠냐며 소리치던 장로들도 다시 돈이라는 현실로 돌아오자 침묵을 지켰다.

형산파에는 약 이천 명의 사람들이 주거하고 있었다. 그들이 한 달 동안 소비하는 식대만 하더라도 은자 삼천 냥은 족히 들었다.

물론 일용할 양식에만 돈이 들어가는 게 아니었다. 아니, 양식이야말로 가장 적게 드는 비용이었다.

운동하고 무공을 수련하면서 옷이 찢어지고 신발에 구멍이 나는 경우가 허다했다. 또한 하산할 때에는 번듯한 무복을 갖춰 입어야 했으며, 일반 식솔들은 때마다 때에 맞는 옷을 사 입어야 했다.

검(劍)은 또 어떤가?

보통 비무의 경우에는 목검을 사용한다지만, 그래도 한 달에 한 번 정도는 진검으로 실력을 겨루는 게 일반적이었다.

평소 진검을 사용하지 않으면 강호에 나갔을 때 진검 싸움을 제대로 할 수 없기 때문에, 행여 있을지 모르는 불상사를 각오하고서라도 진검 비무를 허락하는 것이다.

그렇게 진검 비무를 하면서 부러지거나 검날이 나갈 때는 또다시 검을 사야만 했다. 제대로 된 검은 한두 푼으로 살 수가 없었다. 은자 백 냥, 오백 냥, 심지어 천 냥짜리 검도 있었다.

부상당한 자를 치료할 약물도 돈이 없으면 만들 수가 없었다. 산이라고 해서 모든 약재를 구할 수 있는 건 아니었다. 형산에서 나지 않는 약재는 비싼 값을 주고 사 와야 했다.

어디 그뿐인가. 건물의 보수, 유지에도 돈이 들어갔다. 지어진 지 백 년이 훌쩍 넘은 고루전각들은 나이 들고 병든 노인처럼 하루에도 몇 번씩 여기저기 고장 나기 마련이었다.

사소한 문제야 형산파 내부에서도 충분히 보수를 할 수 있지만, 중차대한 문제의 경우에는 저 형양까지 가서 제대로 된 목수와 일꾼을 구해 와야 했다.

그렇게 해서 일 년 동안 평균적으로 들어가는 전체 비용이 대략 십만 냥 내외가 되었다. 그것도 장로들의 취미를 위한 지출이나 호사품을 전혀 고려하지 않은, 가장 절약하고 검소하게 살아가는 비용이었다.

형산검옹의 냉정한 이야기에 할 말을 잊었던 장로 중 한 명이 문득 혼잣말처럼 중얼거렸다.

"어차피 이런 식으로 본 파의 체면과 위신과 존엄이 무너지는 거라면, 차라리 그들 몰래 고서화를 훔치는 것도 나쁜 방법이 아니겠지."

비록 낮은 목소리였지만 그 소리를 듣지 못할 정도로 내공이 떨어지는 장로는 이곳에 없었다.

일순 장내가 술렁거렸다.

누구는 "형산파의 정의가 이렇게까지 무너졌구나." 하고 탄식했으며, 혹자는 "제자의 목숨을 파는 게 최악이라면 확실히 그건 차악(次惡)의 방법이라 할 수 있겠군." 하면서 고개를 끄덕이기도 했다.

그때 고뇌에 빠진 채 침묵하고 있던 형산검존이 장로들을 둘러보며 물었다.

"그들 몰래 고서화를 훔치는 게 가능하다고 생각하시오?"

장로들은 움찔거렸다. 형산검존이 계속해서 물었다.

"그 행동의 옳고 그름을 따지기 이전에, 과연 그게 가능한 일이라고 생각들 하시오?"

장로 하나가 조심스레 입을 열었다.

"담우천이라는 자의 무위가 뛰어나다는 건 알고 있습니다. 그러니 일반 제자들이라면 어려울 수도 있겠으나 만약 우리가 직접 나선다면야…… 못할 것도 없다고 생각합니다만."

“허허허. 과연 그럴 것 같소?”

형산검존은 처연하게 웃으며 고개를 저었다.

“나는 아니라고 생각하오. 설령 형산삼로가 직접 나선다 하더라도 실패할 공산이 크다고 생각하오.”

“그건 말이 안 됩니다!”

“아무리 그자가 강하다 하더라도 형산삼로라면 충분히 그들 몰래 고서화를 훔칠 수 있습니다.”

“그럼 나와 내기를 하시겠소?”

형산검존은 장로들을 둘러보며 말했다.

“만약 형산삼로가 그들 몰래 고서화를 훔쳐 낸다면, 비록 양심은 허락하지 않지만 내 무슨 수를 써서라도 그 일을 무마시키고 저들을 돌려보내겠소. 하지만…….”

장로들이 침을 꿀꺽 삼키며 그의 다음 말을 기다렸다.

“반대로 우리의 도적질을 들킨다면 그들에게 사과하는 한편, 역으로 제안해 보겠소. 조금 전에 최 장로께서 말씀하셨던 열 명의 파문으로 말이오.”

장로들은 서로를 돌아보았다.

사실 어느 걸 선택하더라도 형산파의 체면과 자존심과 긍지가 퇴색하는 건 어쩔 도리가 없었다. 그렇다면 형산파가 최선의 이익을 챙길 수 있는 방도를 생각하는 게 그나마 나은 일이었다.

그리고 그 방도는 그리 어렵지 않았다.

"그 내기를 받아들이겠습니다."

그렇게 말한 자는 형산은검 최대필이었다.

"하지만 겨우 그깟 일로 굳이 우리 형산삼로 모두가 움직일 필요는 없을 것 같습니다."

형산은검은 장로들을 둘러보며 말을 이어 나갔다.

"어쨌든 제가 이야기를 꺼냈으니 제가 가겠습니다. 그리고 다른 두 장로가 함께한다면 그것으로 충분할 것입니다. 비록 이 나이 먹도록 도적질이라고는 단 한 번도 해 본 적이 없기는 하지만, 그래도 그들에게 발각당할 것 같다는 생각은 전혀 들지가 않습니다."

형산은검의 말에 장로들이 고개를 끄덕이며 웅성거리기 시작했다. 다들 형산은검의 말에 찬성하는 기색이었다.

형산검존이 한숨과도 같은 미소를 희미하게 흘리며 말했다.

"그럼 그렇게 하시오."

3. 거궐(巨闕)이다

세 명의 복면인, 그러니까 형산은검과 그를 따라온 두 명의 장로는 지금 담우천의 전신에서 뿜어져 나오는 가공할 살기에 적잖이 당황하고 있었다.

그제야 비로소 그들은 형산검존이 왜 그런 내기를 했는지 충분히 이해할 수 있었다.

'늙은 구렁이 같으니라고.'

형산은검은 속으로 투덜거렸다.

장문인 형산검존의 인자한 미소가 지금은 음흉한 능구렁이의 웃음처럼 느껴졌다.

하지만 이대로 물러날 수는 없었다. 비록 담우천과 나찰염요에게 들키지 않고 고서화를 훔쳐 온다는 내기는 실패했지만, 그래도 이대로 물러나기에는 무인의 자존심이라는 게 용납하지 않았다.

자신을 오만방자하게 내려다보는 듯한 저 담우천의 콧대를 한 번 꺾어 놓은 후에 물러나도 늦지 않을 테니까.

그래서였다.

"다시 한번 말하마. 목숨이 아깝다면 잠자코 등짐을 내놓아라."

그는 쇳소리 섞인 목소리로 변성하여 말했다. 그의 말에 따라 다른 두 장로도 다시 검을 고쳐 잡았다. 부러진 검을 들고 있던 장로도 검에 내력을 불어넣자, 부러진 검날이 새하얀 빛을 발산했다.

'호오.'

담우천은 그 모습을 보고 내심 감탄했다.

그 한 수만으로도 어느 정도의 내공을 지니고 있는지 확인할 수가 있었다.

이른바 구파일방의 장로급 무위를 가리켜 노경(老境)이라고 하지만, 사실 그 편차는 상당히 크다 할 수 있었다. 각 문파의 장로들의 수준이 다르고, 심지어 같은 문파에서도 장로들 간의 격차는 심했다.

그런 연유로 일반적으로 떠올리는 노경의 경지를 뛰어넘는 장로도 있었고, 또 반대로 노경의 경지에 한참 미치지 못하는 장도도 많았다.

그런 의미에서 보자면 이 복면인들은 확실히 노경의 수준에 있는 고수들이었다.

'투기를 강하게 내뿜고는 있지만 살기는 그리 강하지 않다. 즉, 우리를 죽일 생각까지는 없다는 것. 역시 형산파 장로들이 분명하다.'

담우천은 검을 쥔 세 명의 복면인을 둘러보며 빠르게 머리를 굴렸다.

'그런데 왜 형산파의 장로들이 그 고고한 체면과 오만할 정도로 강한 자존심을 버리고 고서화를 훔치러 들어왔을까?'

대충 세 가지 정도의 이유가 떠올랐다.

하지만 지금은 깊게 생각할 시간이 없었다. 어쨌든 지금 이 상황을 가장 현명하게 타개하는 것이 중요했다.

담우천은 천천히 검을 들어 올리며 말했다.

"말로 해서는 도저히 안 될 작자들이로구나. 아무래도 네놈들을 모두 붙잡아서 형산파의 체면과 위신을 세워 줘야겠다. 감히 형산파에 함부로 침입한 죄, 그리고 나와 내자의 평온을 깨뜨리고 도둑질을 하려 한 죄의 대가를 반드시 치르게 할 것이다."

장로들은 침을 꿀꺽 삼키며 담우천의 다음 행동을 주시했다.

담우천은 검을 앞으로 쭉 내밀었다. 순간 그의 검이 점점 빛나는가 싶더니 이내 담우천의 모습이 그 검에 가려 보이지 않게 되었다.

"신검합일(身劍合一)?"

형산은검이 깜짝 놀라며 소리쳤다.

그의 좌우로 서 있던 장로들도 놀라기는 마찬가지였다. 그들은 소리칠 엄두도 내지 못하고 입을 쩍 벌린 채 눈이 부실 정도로 빛나는 검을 쳐다보고 있었다.

신검합일은 말 그대로 몸과 검이 하나가 되는 경지로, 검을 수련하여 이룰 수 있는 최고의 경지 중 하나였다.

검이 곧 나이고, 내가 곧 검인 물아일체(物我一體)의 경지.

내 몸이 곧 검이니 신체와 검과의 간극(間隙)은 사라지게 되고 마음이 이는 대로 검이 움직이게 되니, 신검합일이야말로 심검(心劍)이라는 무상(無上)의 경지에 이르는 초입이라 할 수 있었다.

'미, 믿을 수 없다.'

형산은검의 턱이 부들부들 떨리고 있었다.

신검합일은 더 이상 초식이나 투로의 무공이 아니었다. 내공과 깨달음이 조화를 이루어야만 비로소 오를 수 있는 경지였다.

아무리 내공이 높다 하더라도 깨닫지 못한다면 오를 수 없는 경지였으며, 또한 깨달음을 얻었다고 할지언정 그 깨우침을 뒷받침할 수 있는 내공이 없다면 역시 펼칠 수 없는 게 바로 신검합일이었다.

형산은검은 예순이 훨씬 넘은 작금에 이르러서야 비로소 신검합일이 어떠한 무공인지 겨우 감을 잡게 되었다. 하지만 여전히 닿을 듯, 닿을 듯하면서도 좀처럼 닿지 못한 경지이기도 했다.

그런데 저 담우천이라는 사내는, 불과 사십 대 초중반으로밖에 보이지 않음에도 불구하고 저리도 완벽한 신검합일을 펼치고 있는 것이다.

자존심이 무너지는 순간이었다. 가슴이 쓰라리다 못해 활활 불타는 것만 같았다. 세상 모든 것이 잘못 돌아가는 듯한 기분이 들었다.

형산은검은 이를 악물었다. 그의 복면 속에 감춰진 수

염이 세차게 떨리기 시작했다. 검을 쥔 손등에 핏줄이 곤두섰다.

"좋아."

그는 저도 모르게 입을 열었다.

"신검합일이라는 게 얼마나 대단한 건지 한번 견식해 보마!"

동시에 그의 검이 갑자기 커지는 듯한 환영이 일었다. 형산은검의 모습은 거대하진 검에 가려 자취를 감췄다. 마치 검 뒤에 몸을 숨기는 듯한 수법.

그 수법은 바로 일검장신(一劍藏身)으로, 신검합일에 들어서기 직전의 경지였다.

형산은검은 지난 십여 년 동안 일검장신의 경지에 머무르며 신검합일에 올라서지 못하고 있었다. 그건 반대로 말해서 일검장신의 수법만으로는 이미 무소불능(無所不能)의 경지에 올라 있다는 뜻과 다를 바가 없었다.

형산은검의 검은 어느새 방 안을 가득 메울 것처럼 거대해졌다. 형산은검은 검에 몸을 숨긴 채 담우천을 향해 그 거대해진 검의 환영을 휘둘렀다.

번쩍!

방 안으로 번개가 작렬한 듯한 섬광이 일었다. 나찰염요와 두 명의 장로는 그 강렬한 섬광을 견디지 못하고 황급히 눈을 감으며 뒤로 물러났다.

챙!

힘껏 내던진 유리가 깨지면서 나는 듯한 청명한 소리가 울려 퍼졌다. 바로 뒤를 이어 눈을 감은 사람들의 귓전으로 쇳소리 섞인 낮은 신음이 흘러들었다.

"으음."

사람들은 놀라 눈을 떴다.

방 안을 가득 메우던 거대한 검의 환영은 사라지고 없었다. 새하얗게 빛을 내던 담우천의 검도 이제는 평범한 검의 모습으로 되돌아와 있었다.

그리고 담우천의 전면에, 형산은검이 자루만 남은 검을 쥔 채 비틀거리다가 "우웩!" 하고 한 모금의 선혈을 토했다.

담우천은 살짝 놀란 눈빛으로 그를 지켜보며 말했다.

"놀라운걸. 내 검의 우위만 아니었다면 이렇게 쉽게 승부가 나지 않았을 것이다. 일개 도적치고는 감당할 수 없는 수준의 무공을 지녔군그래."

한 모금의 선혈을 토해 낸 뒤 조금은 안정이 된 듯 형산은검은 담우천의 검을 바라보며 물었다.

"그 검은……?"

담우천은 차분하게 대꾸했다.

"거궐(巨闕)이다."

일순 복면에 가려진 형산은검의 안색이 싯누렇게 변했다.

두 장로도 놀란 나머지 저로 모르게 더듬거리며 말했다.

“거, 거궐…….”

“세상에! 거궐이라니……!”

그때였다.

“그럼 이제 들어가도 되겠소?”

문밖에서 늙수그레한 음성이 들려왔다. 형산파 장문인인 형산검존의 목소리였다.

10장.
고장난명(孤掌難鳴)

그랬다.
그들은 신혼부부였고, 그들의 여행은 신혼여행이었다.
형산에서 악양부까지 닷새 동안 그렇게 담우천과 나찰염요는
뒤늦은 신혼여행을 즐겼다.

1. 이율배반(二律背反)

"미안하오. 모든 게 이 늙은이의 부질없는 장난기 때문에 벌어진 일이오. 행여 크게 놀라시거나 당황하셨다면 정말 죄송하게 생각하오."

형산검존이 두 손을 모으며 사과했다.

형산검존은 두 명의 장로와 함께 담우천의 거처를 찾았다. 그 두 명의 장로는 형산은검과 함께 형산삼로라 불리는 인물들이었다.

"아닙니다."

담우천이 차분한 어조로 말했다.

"처음부터 형산파의 장난이라고 생각했습니다. 진검으

로 협박하는 것치고는 전혀 살기를 느낄 수가 없었으니까요. 게다가 형산은검께서 한 수 접어 주신 덕분에 다행히 부상을 입지 않고 싸움을 끝낼 수가 있었습니다."

그의 말에 복면은 벗은 형산은검이 살짝 입술을 깨물었다.

담우천이 형산은검을 생각해서 한 수 운운한 거겠지만 외려 그 말이 형산은검의 자존심을 건드리는 꼴이 되었다.

형산은검은 망설이다가 입을 열었다.

"완벽한 패배였소. 지금껏 살아오면서 이렇게 철저하게 패한 건, 정사대전 당시 무상검마(無上劍魔) 이후 처음이오."

그는 담우천을 똑바로 바라보며 말을 이었다.

"설령 거궐이라는 신병(神兵)이 아니었더라도 결국 내가 패했을 것이오. 어쨌든 신검합일의 경지에 오른 자와 일검장신의 수준에 불과한 나와의 싸움이었으니까."

그의 목소리가 처연하게 들렸기 때문이었을까. 담우천이 고개를 저었다.

"그건 아닙니다."

담우천은 차분한 어조로 말했다.

"수년 전, 나는 갓 신검합일의 경지에 들어선 자와 싸워 이긴 적이 있었습니다. 이후 몇 년 동안 나름대로 기연을 얻어 그때보다 세 배 이상 강해졌습니다. 하지만 그 신검합일의 경지에 갓 들어선 자와 싸웠을 때보다 은검 장로와 싸우는 게 몇 배는 더 힘들고 어려웠습니다."

"농이 지나치구려."

"나는 농담을 좋아하지 않습니다."

담우천은 잘라 말했다.

형산은검은 입을 다물고 담우천을 쳐다보았다. 확실히 농담을 좋아할 성격은 아닌 듯했고, 허투루 거짓말을 할 것 같지도 않았다.

형산은검은 잠시 생각하다가 입을 열었다.

"그럼 그 수년 전, 갓 신검합일의 경지에 입문했다는 검객은 누구요?"

"절정검 조흔이라는 자입니다."

"절정검 조흔? 아!"

형산은검은 고개를 끄덕였다.

들은 기억이 있었다.

산동 끝자락에 천재 검객이 있어서 앞으로의 성장 가능성이 무궁무진하다고, 차후 검왕(劍王)이라 불릴 만한 인물이라는 소리를 꽤 오래전에 들은 바가 있었다.

하지만 그 이후 지난 몇 년 동안 절정검 조흔에 대한 소문은 전혀 들려오지 않았고, 그래서 이제는 기억 속에 희미한 그림자로 남아 있던 이름이고 별호였다.

"절정검 조흔이라면 산동 천궁팔부(天宮八部)의 그 절정검을 말하는 것이오?"

장문인과 함께 온 다른 장로가 물었다. 담우천은 고개를 끄덕이며 대답했다.

"그렇습니다."

"으음. 그렇구려."

장로는 뭔가 알 것 같다는 표정을 지으며 입을 다물었다.

한때는 산동의 패자(霸者)라고 알려졌던 천궁팔부가 수년 이래 급속도로 쇠락해지면서, 심지어 문호(門戶)까지 걸어 잠근 이유를 어느 정도 이해할 수 있었던 게다.

"어쨌든 우리의 장난이 지나쳤음을 인정하오."

잠자코 있던 장문인이 입을 열었다.

"진심으로 사과하는 의미에서 우리는 담 대협의 제안을 받아들일까 생각하오."

"자, 장문인."

형산은검이 움찔거리며 입을 열었지만 장문인인 형산검존은 개의치 않고 말을 이어 나갔다.

"하지만 백 명을 빌려 드릴 수는 없소."

나찰염요가 눈을 반짝였다.

'결국에는 오라버니 말씀대로 되는구나.'

형산검존은 게서 입을 다문 채 가만히 담우천의 표정을

지켜보았다. 담우천은 여전히 무심하고 조용하여 무슨 생각을 하고 있는지 알 수 없는 얼굴이었다.

'역시…….'

형산검존은 내심 고개를 끄덕였다.

'이미 예까지 예상하고 있었나 보군.'

그렇지 않고서야 이렇게 눈빛 한 점 흔들림 없이 태연하게 앉아 있을 리가 없었다.

형산검존은 가볍게 한숨을 내쉬었다. 그러고는 이곳을 찾아올 때까지 숱한 번민과 고뇌를 통해 마침내 결정한 속내를 드러냈다.

"백 명을 빌려 드리는 대신, 세 명의 생사여탈권을 드리겠소."

"장문인? 그, 그게……."

담우천보다 형산은검이 먼저 반응을 보이며 말문을 더듬었다. 나찰염요도 깜짝 놀랐다.

'열 명이 아니라 세 명? 지독한 늙은이네.'

나찰염요는 속으로 투덜거리면서 담우천을 힐끗 쳐다보았다. 담우천은 여전히 무표정한 얼굴이었다.

형산검존이 차분하게 말을 이었다.

"백 명의 일반 제자를 한 번 빌리는 것보다 절정 고수 세 명의 생사여탈권을 쥐는 게, 담 대협에게 있어서 훨씬 더 이득이라고 생각하오. 이게……."

그는 가볍게 한숨을 내쉬고는 천천히 말을 이어 나갔다.

"본 파가 할 수 있는 마지막 제안이오."

담우천은 가만히 있다가 불쑥 입을 열었다.

"세 명을 내가 고를 수 있다면 그 제안을 받아들이겠습니다."

"안 되오!"

형산은검이 소리쳤다. 그러고는 형산검존을 향해 애원하듯 말했다.

"비록 내기에서는 졌지만, 이렇게 우리 제자들을 돈에 파는 건 있을 수 없는 일입니다. 천하의 모든 사람이 우리를 손가락질하고 욕을 할 게 분명합니다. 돈은…… 검옹이 말씀하신 대로 낚시를 하고 수렵을 해서 먹고살면 됩니다. 옷은 몇 번이고 기워 입으면 됩니다. 검이 없으면 나무를 잘라 목검을 만들면 됩니다. 아끼고 또 아끼면 어떻게든 버티고 살 수 있을 겁니다. 그러니 제발 그 말씀은 거둬 주시기 바랍니다. 백 명이든 열 명이든 세 명이든, 돈에 끌려 제자를 파는 일은 결단코 일어나서는 안 될 일입니다, 장문인!"

형산은검의 목소리가 피 끓는 절규처럼 느껴졌다. 잠자코 듣고 있던 형산검존의 안색이 몇 번이고 변화를 일으켰다.

하지만 형산검존은 고개를 저었다.

"이미 결정한 일이오."

"장문인!"

"모든 게 이 늙은이의 책임이오. 구파일방에서 탈퇴하겠다고 선언한 것도, 태극천맹에서 적(籍)을 빼내고 오대가문과 척을 지게 된 것도, 그리하여 이렇게 재정이 극도로 악화한 것 모두 본인의 책임이오."

"아닙니다. 그게 어찌 장문인의 책임이라 할 수 있겠습니까? 그렇게 결정한 우리 모두의 책임……."

그렇게 형산은검이 끝까지 제 주장을 내세울 때였다. 가만히 그들을 지켜보던 담우천이 불쑥 입을 열었다.

"좋습니다."

형산은검과 장로들이 그를 돌아보았다. 분노와 원망, 증오의 눈빛이 서려 있는 눈길이었다.

담우천은 태연하게 말을 이었다.

"그러면 없던 일로 하겠습니다."

"음?"

형산검존이 깜짝 놀라며 담우천을 돌아보았다. 형산은검을 포함한 장로들 또한 당황하여 움찔거렸다.

담우천은 차분한 어조로 말했다.

"그렇게까지 반대하시니 굳이 내 제안을 끝까지 밀어붙일 이유가 없을 것 같습니다. 그러니 없던 일로 하죠."

담우천이 그렇게 딱 잘라 말하자 방 안의 분위기는 순식간에 얼어붙었다. 형산은검을 포함한 장로들이 당황한 얼굴로 서로를 돌아보았다.

이렇게 끝나다니.

과연 이게 다행스러운 일일까.

제자를 돈으로 파는 일이 불발로 끝난 건 천만다행이지만, 또 결국 은자 백만 냥 이상의 가치를 지닌 고서화를 얻지 못하게 된 게다.

비록 백 명, 아니 세 명의 제자는 구하게 되었지만, 극도의 재정 악화 상태에서 벗어날 유일한 기회를 놓치게 된 게다.

장로들의 머릿속에 수많은 생각이 떠올랐다가 사라졌다. 백만 냥이라는 거액이 주는 이득과 그 돈으로 할 수 있는 모든 것들이 그들의 뇌리를 가득 메웠다.

다른 장로들은 물론이고, 심지어 형산은검까지 아쉬워하는 기색이 떠오르는 건 당연한 일이었다.

"아니, 담 대협."

형산은검이 당황하여 말했다.

"그렇다고 해서 그냥 이대로 없던 일로 하기에는, 그러니까 뭔가…… 아니, 내 말은 그러니까……."

형산은검은 쉽게 자신의 생각을 정리해서 말하지 못했다.

당연한 일이었다.

제자를 돈 받고 파는 짓은 못하겠고 그렇다고 백만 냥을 포기하기는 아깝고, 그런 이율배반적(二律背反的)인 상황에서 좀처럼 자신의 마음을 어느 한쪽으로 정할 수가 없었던 까닭이었다.

2. 나를 선택하시오!

"이제 다들 그 입을 다무시게."

문득 형산검존이 차가운 어조로 말했다. 형산은검은 찔끔하여 얼른 입을 다물었다. 다른 장로들도 입을 꾹 다문 채 형산검존을 바라보았다.

형산검존은 예리하고 매서운 눈빛으로 장로들을 둘러보고는 다시 담우천을 바라보며 입을 열었다.

"다시 한번 생각해 주시오."

"다시 생각할 게 뭐가 있겠습니까?"

담우천은 고개를 갸우뚱거렸다.

"저리도 심하게 반대하는 이가 많은데 말입니다."

"저들 모두 무조건 반대하는 건 아니오."

형산검존이 한숨을 쉬며 말했다.

"단지 본 파의 제자들을 돈으로 판다는 것에 대한 자책

감과 죄책감이 큰 것뿐이오. 그리고 조금 전에도 말했다시피 그 원인을 제공한 건 모두 내 잘못이기도 하고."

"장문인!"

"입 다물라 했소!"

형산은검이 입을 열자 형산검존이 매섭게 말했다. 형산은검은 억울하다는 표정을 지었지만 장문인의 명령대로 다시 입을 열지는 않았다.

형산검존은 계속해서 말했다.

"어쨌든 내가 이렇게까지 재정이 악화하도록 놔두었으니 그 책임을 지는 게 당연하오. 제자들을 돈으로 판 책임? 그것도 내가 지는 게 당연하오. 결자해지(結者解之), 내가 모든 책임을 지겠소. 그러니 여러 장로들은 이 일에 대해서 더는 왈가왈부하지 마시오."

"자, 장문인!"

형산은검과 장로들의 얼굴이 창백해졌다.

형산검존의 말에서 그 굳강한 의지와 결연한 각오를 느낄 수 있었던 것이다.

형산검존의 말과 목소리와 표정에는, 이번 상황이 정리되는 대로 장문인의 직위를 내려놓고 은거하거나 혹은 자결을 함으로써 모든 책임을 지려 한다는, 그 확고한 결심이 고스란히 배어 있었다.

형산검존은 담우천을 돌아보며 말했다.

"직접 세 명을 고르겠다고 하셨소? 그것으로 충분하다면 상관없소."

담우천은 가만히 형산검존과 장로들을 둘러보았다. 담우천과 눈이 마주친 형산은검이 빽! 하고 소리쳤다.

"나를 선택하시오!"

그는 곧이어 장문인을 돌아보며 말했다.

"애당초 고서화를 훔치러 들어온 건 나였습니다. 형산파에 큰 누를 끼쳤으니, 당장 파문해 주십시오!"

그러자 그의 뒤에 있던 두 명의 장로가 함께 허리를 숙이며 말했다.

"우리 역시 형산파의 제자 된 입장에서 타인의 물건을 훔치려는 천인공노할 만행을 저질렀습니다. 이에 파문을 요청합니다!"

"허어."

형산검존이 탄식하며 눈을 감았다. 그러고는 다시 눈을 뜨며 처연한 목소리로 말했다.

"모든 선택권은 내가 아닌, 담 대협에게 있소."

담우천이 기다렸다는 듯이 말했다.

"그 세 명의 파문된 제자들은 곧 내 종이 되고 하인이 되는 겁니다. 나와 내 동료들을 위해 목숨을 버릴 각오가 되어 있어야 합니다. 그렇지 않은 자들을 굳이 백만 냥이라는 거금을 주면서까지 데리고 있을 이유는 없으니까요."

수치와 굴욕, 분노가 형산은검 등의 표정에 떠올랐다. 담우천의 말이 계속해서 이어졌다.

"은검 장로와 두 분 장로는 그래서 선택할 수 없습니다. 내 하인이 되기에는 여러분의 자긍심과 자존심과 체면이 허락하지 않을 테니까요."

"아니, 하인이 되겠소!"

형산은검이 수염까지 부르르 떨면서 소리쳤다.

"내, 형산에 맹세코 담 대협의 충복한 하인이 되어 담 대협을 위해 목숨을 바칠 각오로 일하겠소!"

다른 장로들은 차마 그렇게까지 말할 수 없었는지 서로 눈치를 살피며 머뭇거렸다.

담우천은 무심한 눈빛으로 형산은검을 한동안 바라보다가 천천히 고개를 끄덕이며 입을 열었다.

"은검 장로의 마음을 받아들이겠습니다."

형산은검의 눈빛이 파르르 떨렸다. 담우천은 다시 장문인인 형산검존을 돌아보면서 말했다.

"하지만 역시 제 제안은 없던 걸로 해야 할 것 같습니다."

일순 형산파 모든 이들의 눈이 휘둥그레졌다.

* * *

삼월 중순의 따스한 아침 햇살을 받으며 담우천과 나찰

염요는 어깨를 나란히 한 채 천천히 말을 타고 산에서 내려왔다. 형산 축융봉의 높은 봉우리에는 아직도 짙은 운무가 자리 잡고 있었다.

느긋하게 말을 모는 담우천의 모습이 홀가분하게 보였다. 등에 메고 있던 등짐이 없어진 게 그 이유의 전부인 것 같지는 않았다.

형산파를 떠나 하산하는 동안 꾹 입을 다문 채 말을 몰던 나찰염요는 이윽고 평지에 내려서자, 궁금해 죽겠다는 얼굴로 담우천을 바라보며 입을 열었다.

"왜 마음이 바뀐 건데요?"

"음?"

담우천은 그게 무슨 소리냐는 듯이 그녀를 돌아보았다. 나찰염요는 샐쭉한 표정으로 말했다.

"형산파에서 세 명을 주기로 했잖아요? 그리고 형산은검도 자신이 그중 한 명이 되겠다고 했고요. 그런데 왜 갑자기 마음을 바꿔 그들을 받지 않은 건데요? 그러면서 또 왜 등짐의 고서화들은 그들에게 건네준 건데요? 그것도 공짜로, 백만 냥 이상의 고서화를 말이에요."

나찰염요가 빠른 어조로 쉬지 않고 묻자, 담우천은 희미하게 미소를 지었다. 그녀는 더 답답해진 얼굴로 계속해서 종알거렸다.

"아니, 그렇게 웃지만 말고요. 우리가 얼마나 손해는

봤는지 알고는 있는 거예요?"

"손해라니?"

담우천은 이해가 가지 않는다는 표정을 지었다. 나찰염요가 그를 노려보며 말했다.

"손해죠. 백 명의 제자를 한 번 빌리는 것도 아니고 파문 당한 열 명을 하인으로 두는 것도 아니고 심지어 세 명의 목숨마저 마음대로 하지 못했으니까, 확실히 백만 냥 이상 손해 본 게 맞죠."

"그렇게 생각할 수도 있겠군."

"그렇게 생각할 수도 있겠다고요?"

"하지만 은자 백만 냥으로 형산파 전체의 힘을 빌릴 수 있다면? 그건 손해가 아니라 엄청나게 이득을 본 결과가 될 것 같은데."

"네?"

나찰염요의 눈이 동그랗게 변했다. 담우천은 담담한 표정으로 말했다.

"나는 그들에게 공짜로 고서화를 주고 온 게 아니다. 그들의 자존심과 체면과 자긍심에 빚을 던져 놓고 온 거지."

그는 북쪽으로 향하는 관도를 따라 말을 몰며 설명했다.

"물론 형산은검 같은 고수 세 명을 파문시켜 우리의 전

력으로 만들면 나름대로 성공한 거라 할 수 있겠지. 하지만 그걸 마땅치 않게 생각하는 형산파 사람들이 상당수 있을 테고, 그들은 앞으로의 우리 행보에 적잖은 딴죽을 걸 수도 있을 거야."

담우천은 잠시 말을 끊고 주변 풍광을 둘러보다가 다시 천천히 말을 이어 나갔다.

"하지만 이렇게 우리가 깨끗하게 물러나면 그들은 우리에게 마음의 빚을 지게 되지. 그리고 그 빚은 언젠가 반드시 큰 이익으로 돌아오게 될 테고."

'과연 그럴까?'

하는 생각이 나찰염요의 머릿속을 스쳤다.

동시에 어젯밤, 아니 정확하게 말하자면 오늘 새벽의 일들이 다시 그녀의 뇌리에 떠올랐다.

* * *

"없던 일로 하죠."

담우천은 담담하게 말했다.

형산파 장문인과 장로들의 안색이 딱딱하게 굳어졌다. 담우천은 계속해서 차분한 어조로 말을 이었다.

"백 명을 빌리든 열 명을 파문하든 아니면 세 명의 절정 고수를 하인으로 삼든, 어쨌든 그 일들의 전제는 형산파의 절대적인 수긍과 인정이 있어야 한다는 겁니다. 하지만 지금 여러 장로들을 보아하니, 그 어떤 식으로 마무리 지어도 다들 불만스러워할 것 같습니다."

"담 대협."

"아니, 좀 더 내 말을 들어 주십시오."

담우천은 징문인 형산검존의 말을 가로막으며 계속 말을 이어 나갔다.

"형산파를 분노하게 하고, 우리를 증오하게 만들면서까지 형산파의 힘을 빌릴 생각은 추호도 없습니다. 그러니 내 제안은 없던 걸로 하고…… 대신 이렇게 느닷없이 찾아와 평지풍파를 일으킨 건 형산파에 고서화를 기증하는 것으로 책임지겠습니다."

"음?"

"그, 그게……."

갑작스러운 담우천의 이야기에 형산검존과 장로들은 일순간 그게 무슨 뜻인지 몰라 당황해했다.

하지만 이내 그 백만 냥 이상의 가치를 지닌 고서화를 무료로 기증하겠다는 의미를 파악한 그들은 깜짝 놀라며 더욱 당황한 얼굴이 되었다.

"그, 그게 정말이오, 담 대협?"

다들 얼마나 당황하고 놀랐는지, 심지어 형산검존조차 말을 더듬으며 물었다.

"정말로 그 고서화들을 우리에게 기증한다는 것이오? 아무 조건이나 제약 없이?"

담우천은 고개를 끄덕이며 대답했다.

"어찌 사내 입으로 두말을 하겠습니까? 물론입니다."

그의 말에 형산검존과 장로들의 얼굴이 살짝 부끄러운 기색이 스며들었다. 담우천의 말을 빌자면, 형산파 장문인과 장로들의 입은 사내의 것이 아니었던 게다.

형산검존은 가만히 담우천을 바라보다가 자리에서 벌떡 일어나며 두 손을 모았다. 장로들도 따라 일어나 포권의 예를 갖췄다.

담우천과 나찰염요도 감히 앉은 채로 그 예를 받을 수가 없다는 듯이 서둘러 일어나 두 손을 모았다.

형산검존이 진지한 어조로 말했다.

"이 은혜, 절대로 잊지 않겠소. 모든 형산파 제자들에게 담 대협과 담 부인의 이름을 기억하도록 하겠소. 비록 담 대협이 하고자 하는 전투에 참여하겠다는 확언은 할 수 없지만 그래도 어떻게든 이 은혜를 갚도록 노력하겠소."

담우천은 차분하게 말했다.

"고맙습니다. 그것만으로도 충분합니다."

3. 신혼여행

'역시 무리야. 형산파를 우리 싸움에 끼어들게 만드는 일은…….'

당시의 기억을 떠올린 나찰염요는 그렇게 생각하며 입을 열었다.

"아무리 생각해도 그건 너무 낙관적인 것 같아요. 우리가 태극천맹이나 오대가문과 싸울 때, 그들은 분명 대의가 어쩌고 명분이 저쩌고 하면서 도와주지 않을 테니까요."

"그러면 할 수 없지. 백만 냥짜리 고서화들을 그냥 허공에 날리게 되는 거고."

담우천은 문득 미소를 지으며 말했다.

"쉽고 간단하게 생각하자. 그래. 나름대로의 도박인 게지, 은자 백만 냥을 건. 물론 쪽박을 찰 수도 있겠지만 잘만 하면 엄청난 이득을 챙길 수도 있는 그런 도박 말이야."

"그럼 반드시 그 도박이 성공하기를 빌어야겠네요."

"그렇지. 원래 도박이라는 게 운칠기삼(運七技三)이라고 하니까, 무작정 던져 놓고 기도하는 게 최선이지."

"그런 무책임한 도박이 어디 있어요?"

나찰염요가 웃으며 말했다.

담우천도 미소를 지었다. 봄바람이 살랑거리며 그들의 곁을 지나쳤다. 따사로운 아침 햇빛이 그들의 어깨 위에 살포시 내려앉았다.

나찰염요는 여전히 입가에 웃음기를 머금은 채 화제를 돌렸다.

"어쨌든 고서화를 모두 처분했으니까 성도부로 돌아가면 되잖아요? 왜 굳이 악양부로 가려는 거예요?"

"응? 이렇게 오붓하게 둘이 여행하는 게 싫은가?"

"아, 아뇨. 어머나, 무슨 바람이 불었기에 그런 농담까지 하세요?"

"흠. 농담처럼 들려?"

"아니에요."

고개를 저으며 부인하는 나찰염요의 얼굴은 마치 붉은 복사꽃처럼 아름답게 물들고 있었다.

물론 담우천이 악양으로 다음 행선지를 정한 건 둘만의 여정을 계속 이어 나가고 싶기 때문만은 아니었다. 조 영감이 남창부를 떠나 악양부로 이주했다고 하니, 그를 만나 이매청풍의 소식을 물어볼 요량이었다.

또한 화군악과 장예추, 유 노대가 악양부의 교룡회를 찾아간다고 했으니, 겸사겸사 그들도 만날 생각에 성도부가 아닌 악양부를 목적지로 삼아 말머리를 돌린 것이다.

나찰염요도 그런 사실을 모를 리가 없었다.

하지만 언제나 무뚝뚝하고 무심하던 담우천이 그렇게 살갑게 농담을 하는 데야 굳이 정색하고 진짜 저의를 알아낼 필요가 없었다.

그저 담우천의 이야기대로 단둘만의 오붓하고 행복한 여행을 즐기면 되는 일이었다.

때마침 날씨는 좋았고 햇볕도 따스했으며 바람도 적당히 불었다. 수시로 출몰하는 산적이나 도적들도 없었으며, 하룻밤 묵으러 들어간 객잔에서 시비를 거는 불한당들도 없었다.

그야말로 세상 모든 것이 그들을 위해 존재하는 것 같았다.

그들은 밤마다 열정적으로 서로의 몸을 탐했다. 마치 갓 혼인한 부부들이 그러한 것처럼, 하룻밤에도 서너 번씩 사정을 하고 절정을 느꼈다.

그랬다.

그들은 신혼부부였고, 그들의 여행은 신혼여행이었다. 형산에서 악양부까지 닷새 동안 그렇게 담우천과 나찰염요는 뒤늦은 신혼여행을 즐겼다.

그리하여 두 사람이 악양부에 도착한 이날, 그 신혼여행은 막을 내렸다.

"교룡회를 찾아가 물건들을 판다고 했지?"

악양부 내로 들어선 담우천의 말에 나찰염요는 행복한 미소를 지으며 고개를 끄덕였다.

"맞아요. 그때 유 사부의 말을 듣고 꽤 놀랐잖아요? 유 사부 같은 명문 정파의 노기인이 교룡회 같은 조직과도 인연을 맺고 있다니, 하면서요."

담우천과 나찰염요는 교룡회에 대해서 잘 알고 있었다.

사선행자 시절, 그들은 교룡회와 몇 번 의뢰를 주고받은 적이 있었으며, 또 그 이후에도 나찰염요나 이매청풍, 만월망량은 종종 교룡회를 통해 돈을 벌거나 의뢰를 하기도 했었다.

교룡회는 어디까지나 하오문 중의 하나였다. 강호의 더럽고 비열하며 지저분한 뒷골목에서 살아가는, 음지의 조직이었다. 그런 교룡회와 저 곤륜파의 명숙 간에 친분이 있다는 건 확실히 놀라운 일이었다.

"그래서 그때 유 사부를 다시 한번 돌아봤다니까요."

나찰염요는 미소 지으며 말했다.

그녀는 며칠 전보다도 더 아름다워졌고, 어제보다도 더 원숙해 보였다. 말과 행동에는 여유가 넘치고 표정과 미소는 부드럽기 그지없었다.

그 누구도 지금의 그녀를 보고 저 잔악한 나찰염요를

떠올릴 사람은 아무도 없었다. 이미 그녀의 인상은 백팔십 도로 변해 있었다.

담우천이 담담한 어조로 그녀의 말을 받았다.

"애당초 그렇게 교류가 넓고 사람 사귀기를 좋아하시는 분이니, 우리와도 스스럼없이 사귀고 함께 지내는 거겠지."

"그러니까요. 정파 사람들이 다 유 사부만 같다면 정사대전 같은 게 발발할 리가 없을 텐데요."

"물론 그렇게 되기 위해서는 사마외도 사람들로 변해야겠지. 어느 한쪽만 변해서는 아무런 소용이 없으니까."

고장난명(孤掌難鳴)이라고 했다. 손바닥 하나로는 손뼉 치는 소리를 낼 수 없는 법이었다. 두 손이 하나가 되기 위해서는 두 손 모두 변화해야 했다.

"맞아요."

나찰염요는 교룡회로 향하는 대로를 따라 천천히 말을 몰면서 중얼거렸다.

"이제 싸움이라는 건 정말 진저리가 나요. 우리뿐만 아니라 세상 모든 사람들이 평화롭게, 서로 사이좋게 살 수 있다면 얼마나 좋을까요?"

하지만 그녀의 기원은 불과 반 시진도 안 되어 물거품이 되었다. 그들의 목적지인 교룡회에 당도했을 때, 어처구니가 없게도 그곳에서는 한참 싸움이 벌어지고 있었다.

나찰염요는 수많은 구경꾼들 뒤에서 말을 멈추며 한숨을 내쉬었다.

"진짜 싸우기 좋아한다니까요, 사람들이란."

"그게 사람들의 본능인가 보지. 살아남기 위해서 싸운다는 본능 말이야."

담우천은 담담하게 말하다가 문득 눈빛을 반짝였다.

구경꾼들 저 너머, 반쯤 무너진 교룡회의 정문 안쪽으로 드넓게 펼쳐진 연무장에서 한참 치고받고 싸우는 사람들 중 한 명의 인상착의가 너무나도 낯익었던 것이다.

"설마 유 사부?"

"네?"

나찰염요는 한숨을 내쉬다가 담우천의 중얼거림을 듣고는 깜짝 놀라며 정면을 주시했다. 다행히 그들은 말을 타고 있어서 구경꾼들 머리 위로 교룡회 연무장에서 벌어지는 광경을 똑똑히 바라볼 수가 있었다.

나찰염요는 눈을 휘둥그레 뜨며 말했다.

"정말이네요."

담우천은 고개를 갸웃거렸다.

"아니, 왜 지금 교룡회 측과 유 사부가 싸우고 있는 거지?"

유 노대는 교룡회의 오룡두와 친분이 있다고 했다. 또 그런 이유로 이곳 악양부까지 와서 그들에게 보주들을 팔고자 했다.

그런데 정작 이렇게 담우천이 와 보니, 서로 죽이지 못해서 안달이 난 것처럼 치열한 사투를 벌이고 있는 것이다. 당연히 그 속사정을 모르는 담우천과 나찰염요로서는 도저히 이해가 가지 않는 상황이었다.

"그래도 손속에 정을 둬서 마혈만 제압하시는군그래."

담우천은 가만히 유 노대의 싸움을 지켜보며 중얼거렸다.

죽일 듯이 덤벼드는 건 교룡회 흑의 무사들뿐이었다. 그들은 미친 듯이 무기를 휘두르며 유 노대에게 덤벼들었다.

유 노대는 나비처럼 유유자적 보법을 밟으며 흑의인들의 마혈을 짚어 나갔다. 마혈을 제압당한 흑의 무사들은 짚단처럼 꼬꾸라지거나 나자빠졌다.

하지만 연무장 한쪽에서 대기하고 있던 백여 명의 흑의 무사들이 계속해서 충원되었고, 간단하게 끝날 것 같던 싸움이었지만 그런 연유로 유 노대는 쉽게 그 결말을 내지 못했다.

그게 답답했을까.

갑자기 유 노대가 한 마리가 용이 승천하듯 허공 높이 솟구치더니 이내 방향을 돌려 오 층 전각으로 날아올랐다.

오 층 양대에는 십여 명의 사람들이 의자에 앉은 채 희희낙락한 모습으로 싸움을 구경하고 있었는데, 그들은 느닷없이 날아든 유 노대의 모습을 보고도 전혀 당황하지 않았다.

유 노대는 그들과 뭔가 대화를 나누기 시작했다. 담우천은 가볍게 눈살을 찌푸렸다.

지금 말을 타고 있는 담우천과 나찰염요가 있는 곳에서 오 층 전각까지는 약 백여 장의 거리. 아무리 담우천의 귀가 밝다 한들 그 먼 거리의 대화가 들릴 리가 없었다.

"좀 더 가까이 다가가야겠군."

담우천이 중얼거리며 말을 한쪽으로 몰려는 순간이었다.

"어어?"

나찰염요가 구경꾼들을 내려다보며 손을 들어 가리켰다.

"지금 저쪽으로 이동하는 두 사람, 화 도련님하고 장 도련님 아닌가요?"

담우천은 그녀의 손길을 따라 시선을 돌렸다.

아닌 게 아니라, 수많은 구경꾼 사이를 비집고 교룡회 외곽으로 이동하는 두 사내의 뒷모습은 확실히 화군악과 장예추였다.

담우천은 곧장 말을 달렸다. 나찰염요도 얼른 고삐를

후려치며 그 뒤를 따랐다.

두 사내는 교룡회의 담을 따라 후문 쪽으로 빠르게 이동했다. 그들이 막 골목길로 접어들려는 찰나, 담우천이 낮고 강하게 소리쳐 불렀다.

"군악! 예추!"

일순 두 사내가 움찔거리며 뒤를 돌아보았다.

"어라?"

사내들의 뒤를 쫓던 나찰염요의 눈이 휘둥그레졌다. 담우천도 살짝 당황한 눈치였다. 뒤를 돌아본 두 사내는 화군악과 장예추가 아닌, 처음 보는 낯선 얼굴의 중년 사내들이었던 것이다.

"이런, 미안하오."

담우천이 그들을 향해 사과했다.

"사람을 잘못 보았나 보오."

그의 말에 낯선 중년 사내들이 씨익 웃었다.

(무림오적 34권에서 계속)